ZONA LIBRE

El fugitivo

El fugitivo

Terence Blacker

Traducción de
Juan Manuel Pombo

Fotografía de cubierta
Sergio Vanegas

GRUPO
EDITORIAL
norma

www.librerianorma.com

Bogotá, Barcelona, Buenos Aires,
Caracas, Guatemala, Lima, México,
Panamá, Quito, San José, San Juan,
San Salvador, Santiago de Chile

Título original en inglés
Homebird
de Terence Blacker
Publicado en inglés por Piccadilly Press Ltd., Londres, Inglaterra
Esta edición en español se publica por acuerdo
con Piccadilly Press Ltd.
Se certifica el derecho de Terence Blacker como autor de esta obra.

© Terence Blacker, 1991

© Editorial Norma S.A., 1999 de la traducción en español
para América Latina y el mercado de habla hispana
de los Estados Unidos.
Avenida El Dorado No. 90-10, Bogotá, Colombia

Impreso por Nomos Impresores
Impreso en Colombia – *Printed in Colombia*

Armada, Andrea Rincón

CC. 26011185
ISBN 958-04-4900-7
ISBN 978-958-04-4900-3

Para Xan y Alice

Contenido

—Tranquilo, Tigre–, me escucho decir al tiempo que despierto a altas horas de la noche y descubro que mis recuerdos están ahí, en la oscuridad, tan cerca, que casi los puedo tocar si sólo estirara la mano.

Alcanzo a ver la bota de Pringle que se me viene encima.

Una sombra imprecisa sobre un tejado, iluminada apenas por una luz azul intermitente.

La botella rota en mi mano.

Papá en la estación de Waterloo, los ojos como embrujados, ausentes.

Luego las voces, los ruidos que me acosan, me apabullan. Te he estado observando, Morrison. Eso fue por él, esto por mí. *Tú eres mi sol*. Una sirena de la policía se acerca, cada vez más cerca y yo corro, sin aliento y sollozando y…

–Tranquilo, Tigre.

Cuando se tienen catorce años, no puede uno ponerse a llorar en la mitad de la noche. Esas cosas simplemente no se hacen.

De manera que, para tranquilizarme, intentaré leer un libro o encender la televisión y ver alguna película vieja de esas que pasan en la madrugada o quizá más bien me haga una tostada en la cocina.

Finalmente, la cosa pasa. El pasado se desvanece como un mal sueño. De nuevo, no soy más que yo mismo, Nicky Morrison, un muchacho en su propia cama y casa, a salvo. Hasta la próxima vez.

Uno

Jessie — La perrita que anuncia el fin de los tiempos

Algunas veces, las señales de peligro están ahí, pero toma tiempo verlas. Como durante mi cumpleaños, el año pasado, cuando llegó Jessie.

Viernes, 19 de abril. El amanecer de mi adolescencia. Un día aciago en la historia de la humanidad.

Termina una semana de colegio. Tomo el autobús que me lleva a casa, una ruta conocida que todavía recuerdo: avenida principal, dejar atrás el conjunto de edificios residenciales donde varios de mis amigos descienden, haciendo planes para el fin de semana, viraje a la izquierda, una calle más tranquila, cruzar el parque y estoy en el lugar donde me bajo.

Desde allí, la caminada a casa no me molesta para nada. Me da tiempo para acostumbrarme al silencio de los barrios residenciales, en las afueras, después del bullicio y el zarandeo del colegio. Paso al lado de las tienditas de periódicos y caramelos con las ventanas llenas de avisos que ofrecen trabajos de mecanografía, arriendos y gatos y cachorros para la venta. Cruzo la calle y luego el parque Masson, donde la gente pasea a sus perros. Llego entonces a la calle en donde vivo.

¿Qué puedo decir sobre la calle en la que vivo? ¿Que es tranquila? ¿Que cada una de las casas exhibe con orgullo en su fachada una alarma contra robos? ¿Que los antejardines son tan suaves y lisos como una mesa de billar? ¿Que la vida de barrio en este vecindario se reduce al señor Harrington, lavando su auto, y al spaniel de la señora Zimmerman, ladrando tan pronto lo sacan al parque?

Pero en fin, es mi casa y me gusta.

Ese día específico llevo prisa. Empieza el fin de semana y además cumplo años. Por la mañana, abrí las tarjetas de felicitaciones y, por la noche, cuando regrese papá, abriré mis regalos.

Sigo mi camino. Al llegar a la puerta –¡Dios mío, no! –un par de globos rojos, como si tuviera cinco años o algo por el estilo.

Abro la puerta y mamá está en la cocina colocando las velas sobre un pastel que acaba de comprar. Levanta la mirada y sonríe:

–Hola, cumpleañero –dice.

QUIÉN ES QUIÉN EN LA FAMILIA MORRISON: *Mi madre.*

NOMBRE: Mary Jean Morrison.

EDAD: Cumplió cuarenta el año pasado (¡Y qué crisis lo que aquello fue!).

SEÑALES PARTICULARES: Atractiva. Pelo negro (un poco desordenado). Bastante delgada. Muy mamá, pero no está mal para su edad.

GUSTOS: Las flores, reuniones familiares como la Navidad y espantosos y vergonzantes éxitos musicales de los años sesenta.

AVERSIONES: Cocinar, ordenar, las peleas, mi padre (lo digo en broma).

HOBBIES: Jardinería y encontrar siempre nuevas cosas por las cuales preocuparse.

EXPRESIONES PREFERIDAS : ¡Mira cómo tienes tu cuarto! ¿Y cuándo vas a hacer tus tareas? ¿Por qué no lees un libro que valga la pena aunque sea para variar? ¡Si piensas que yo voy a levantar la mesa, te advierto que pronto pensarás distinto! ¡Tienes musgo en los dientes! ¿Y quién crees que va a lavar esto? ... y otro par de cositas entre signos de interrogación o exclamación, ¡por si lo quieres saber!

PUNTO FUERTE: En las discusiones con papá o mi hermana Marisa, saca la cara por su hijo.

PUNTO DÉBIL: Ser un caso clínico de estrés.

–Gracias por los globos, mamá –le digo–. Como para ser del hazmerreír del barrio, ¿ah?

–Se dice para hacerte el hazmerreír y, ¿tienes que terminar todas tus frases con "ah"?

Suspiro. Mamá parece ser la última gran defensora de la lengua escrita y hablada.

–No –contesto con toda la paciencia del mundo–. Si hubieras puesto un letrero que dijera TRECE AÑITOS HOY - FELIZ CUMPLEAÑOS, eso me hubiera hecho el hazmerreír del barrio, pero dos globos sólo se le cuelgan a quien ya *es* el hazmerreír del barrio.

Le quito la etiqueta con el precio al pastel de la pastelería Plaza.

–De pasadita, gracias por el pastel que hiciste, mamá. No debiste tomarte la molestia.

Ella se ríe.

–Tengo cosas más importantes para hacer que trajinar en la cocina.

Se escucha el fragor de un terremoto en la distancia, una especie de estruendo sordo cada vez más aterrador y amenazante. Mi hermana Marisa baja por las escaleras.

–Mírenme lo que nos trajo el gato –dice, despeinándome a sabiendas de que odio que lo haga–. ¿Listo para tu sorpresa de cumpleaños?

QUIÉN ES QUIÉN EN LA FAMILIA MORRISON: Mi hermana Marisa.

NOMBRE: Rosa María Isabel (!!!) Morrison.

EDAD: Diecisiete años.

SEÑALES PARTICULARES: Pongámoslo así: sus carnes son dos tallas más grandes que la estructura ósea. Cabello tirando a rubio, peinado y cepillado en exceso.

PROFESIÓN: Sexto de bachillerato.

GUSTOS: Peinarse y cepillarse, escuchar alguna de sus cintas, mascar chicle, leer una revista, mirarse en los espejos, quejarse de lo dura y terrible que es la vida, hablar por teléfono durante por lo menos tres horas con sus amigas sobre algún cabezón que conocen.

AVERSIONES: Ser interrumpida mientras practica cualquiera de las actividades arriba mencionadas.

HOBBIES: Ninguno.

EXPRESIONES PREFERIDAS: Mira lo que nos trajo el gato, Debes estar bromeando, Perdón que respire, ¿Tú… y con la ayuda de qué ejército? C'est la vie, Por sus señas los reconocerás, El que mucho abarca poco aprieta, o cualquier otra entrada del diccionario de lugares comunes irritantes y estúpidos que esté de moda.

—¿Sorpresa de cumpleaños? —digo y emprendo la retirada, alejándome de ella.

—Sí —es mamá la que contesta—. Tu papá llegará temprano hoy. Te trae una sorpresa.

—Dos sorpresas —susurra Marisa en voz muy baja.

Ahora bien, hay algo alrededor de todo esto que no me gusta nada… un no sé qué sospechoso que flota en el aire. Para empezar, que papá vuelva a casa a las cuatro y media de la tarde con una sorpresa de cumpleaños francamente no cuadra con él. La sorpresa, vaya y venga, ¿pero volver a las cuatro y media? ¿Qué gran acontecimiento podría sacar a papá, a esa hora, de la oficina que es su templo de culto preferido?

¿Los trece años de su único hijo? Quizá, pero poco factible.

Fuera de haberse adelantado tres horas a su horario habitual, hay dos cosas más muy inusuales respecto a papá cuando en efecto llega aquella tarde. La primera, que al llegar no se dirige derecho al bar (no digo que sea un borrachín, sólo que la distancia más corta entre dos puntos es la que separa la puerta de entrada, cuando llega, de la botella de ginebra).

Y la segunda… ¡ah, casi lo olvido!

QUIÉN ES QUIÉN EN LA FAMILIA MORRISON: Mi padre.

NOMBRE: Gordon Harold Morrison.

EDAD: Cuarenta y seis años.

SEÑALES PARTICULARES: Alto, canoso, buenmozo. Barriga incipiente.

PROFESIÓN: Todo lo que tenga que ver con dinero.

GUSTOS: Hacer plata, el golf, hacer más plata.

AVERSIONES: La basura sin sentido (léase cualquier cosa buena en televisión), ese estruendo espantoso (la música pop), desperdiciar la vida (descansar) y leer las calificaciones de su hijo.

HOBBIES: Escuchar a Bach en CD cuando todos los demás quieren ver algo en televisión, cortar el césped, hacer plata.

EXPRESIONES PREFERIDAS: Póngase las pilas, jovencito.

PUNTOS FUERTES: Solía jugar al fútbol en el parque con su hijo, es un hacha para las tareas de matemáticas.

PUNTOS DÉBILES: ¿Ya dije que le fascina hacer plata?

La segunda sorpresa es un terrier, con pelos que parecen de alambre, que trae atado a una traílla.

Quedo boquiabierto.

–Jessie –dice papá, al tiempo que me pasa la correa–. Feliz cumpleaños, Nicky.

–¡No lo puedo creer! –exclamo.

Está bien, soy un blandengue si así lo quieren, pero muero por los perros, de modo que me arrodillo y alzó a Jessie, la estrecho contra mí.

–¡Dime que no es un sueño!

Al levantar la vista, no puedo evitar ver que a mamá se le escapan un par de lágrimas. Sí señor, definitivamente algo extraño ocurre por aquí.

—¿Qué ocurre, mamá? —pregunto—. ¿Alguien, por favor, tiene la delicadeza de contarme qué es lo que ocurre?

—Buenas y malas noticias —dice Marisa.

Papá le lanza lo que se pudiera llamar una de sus miradas más terribles y me coloca una mano sobre el hombro.

—Tenemos que hablar, jovencito.

Hacia la sala: la familia Morrison está sentada alrededor de una mesa baja sobre la que descansa un pastel de la pastelería Plaza que todavía nadie ha tocado.

Algo flota en el ambiente.

—Mírenla —digo sonriendo, mientras la perrita se abre paso husmeando la habitación—. Es como si ya estuviera en casa.

—Seguro que no sabe dónde hacer sus necesidades —dice Marisa, despatarrada sobre un sillón.

—Claro que el bicho sí sabe —dice mamá.

—No es un bicho, es una perra —protesto.

Papá carraspea para aclarar la voz y, sentado, se inclina hacia adelante, como si estuviera en la presidencia de una junta o algo por el estilo.

—Ahora bien, Nicky —dice en su mejor tonito de jefe de familia—. Quiero hablarte sobre el colegio.

Suelto un gruñido, como diciendo que ahora no quiero oír la cantaleta.

—¿En mi cumpleaños?

–Hoy comienza tu adolescencia. Un día muy oportuno para evaluar la situación, para ponderar en dónde estamos y para dónde vamos.

–Como digas, papá.

No me gusta para nada la situación.

–Mary Jean y yo consideramos que estás en edad de asumir con más responsabilidad el asunto de tu educación.

¿Mary Jean y yo? Es como si de un momento a otro hubiera dejado de ser el hijo de los dos para convertirme en un extraño. De cualquier forma, no hay modo de interrumpir a papá una vez ha iniciado uno de sus sermones.

–Como tú sabes bien, Nicolás, venimos preocupados con tus calificaciones últimamente. Honor a la verdad, a mí me tienen muy defraudado y…

Me desconecto. Este disco está tan viejo y rayado que me sé de memoria hasta la última palabra. Cuando por fin papá termina su discursito, me encuentro mirando por la ventana.

–El último trimestre mejoraron mis calificaciones –digo con voz trémula, patética–. Ocupé un puesto como en la mitad del curso.

–La mitad –dice papá.

–Sí, normal, promedio.

–Promedio –dice, como si eso fuera la antesala a la condenación eterna.

–¿Qué tiene de malo estar en el promedio?

Busco a mamá con la mirada en busca de apoyo, pero ella la evita. Dios mío, gracias mil, mamá.

—Yo te digo qué tiene de malo estar en el promedio —continúa papá en voz más alta—. Promedio significa graduarse sin calificaciones sobresalientes. Promedio significa engrosar las filas de los desempleados. Vivimos tiempos en los que el promedio es insuficiente.

Marisa se retuerce en la silla.

—Es la selva, Nicky —dice mi hermana, como si se acabara de inventar la frase.

La frenamos en seco, con nuestras miradas.

—Pues es una jungla, ¿no?

—Promedio es promedio —intento decir en defensa propia y como preguntándole a papá que si acaso él nunca ha sido promedio en nada en la vida.

—Queremos lo mejor para ti —dice mamá, que está sentada a mi lado en el sofá y yo estoy que suelto algo como 'déjenme en paz' porque, francamente, la dirección que esta conversación está tomando no me gusta para nada.

—De modo que —dice papá, inclinándose un poco más hacia adelante—, hemos estado pensando en Holton.

—¿Holton?

—Sí —dice papá—. Se trata de…

—¿El colegio al que tú fuiste?

—Es muy bueno, Nicky —dice, pronto, mamá—. ¿Verdad que sí, Marisa?

–Sí. Conozco varias niñas que estudiaron allí. La pasaron muy bien.

Siento ganas de pedir que traigan un detector de mentiras.

–Ha cambiado mucho desde cuando yo estuve allí –continúa papá–. Ahora tienen computadores… sexto de bachillerato es mixto.

–Pero es…

–Muy bueno en deportes –dice papá.

–Y no queda muy lejos –agrega mamá.

–Pero es un internado –logro por fin decir–. Estaré lejos de casa.

Mamá sonríe.

–Pensamos que un poco de independencia te hará bien.

Miro uno a uno a mis padres y luego bajo la mirada para contemplar a Jessie, que está sentada a mis pies, batiendo su pedacito de cola.

–De manera que esto explica por qué al fin me regalan un perro –digo–. ¿Como para dorar la píldora, ah?

–Te encantará, Nicky –dice papá–. Allí pasé un tiempo maravilloso. Me ayudó mucho.

Y lo observo allí, frente a mí, su cara gris y cansada, su traje también gris y pienso: "Sí, excelente recomendación, papá". Me pongo de pie y de la manera más tranquila del mundo, les digo:

–Me voy a pasear a Jessie al parque.

Dos

¿Los años maravillosos de quién?

Imagínense dos hileras de rododendros espesos y en el medio una larga entrada recta que conduce hasta una casona enorme y vieja que más parece uno de esos lugares a los que lo llevan a uno de paseo un domingo para ver un poco de cuadros o un jardín.

Excepto que no se trata de una visita. Se trata del colegio, Holton College.

Vamos por la entrada de gravilla y mi padre está en uno de sus ratos de buen humor. A lo largo del camino, nos ha entretenido a mamá y a mí con un par de largos capítulos extraídos de esa vieja obra clásica de su predilección: *Los años maravillosos de Gordon Morrison*.

¡…las guerras de almohadas en los dormitorios!

¡…el día que peleó con el matón de turno y ganó!

¡…aquella vez que una paloma se entró a la capilla!

¡…lo que la paloma hizo, con pelos y señales, sobre la cabeza del rector!

¡…el partido de fútbol contra el colegio Wellington que ganaron en el último minuto!

¡…la lista de profesores con apodo y apellido: El sapo White, Camello Benson, La giba Winter, El sargento Sherwood… a la enfermera le decíamos…

"¡Ya basta, papá!", pienso, al tiempo que nos aproximamos a la enorme puerta principal.

Nos conduce por entre patios interiores a lo largo de corredores empedrados, carteleras con avisos. Se ven chicos y chicas dando vueltas por ahí, charlando entre sí y todos parecen gente normal y feliz.

—Buen síntoma —dice mamá.

"Sí, claro, y dónde estarán los nuevos", me pregunto, "¿tal vez temblando de terror en los excusados, ¿verdad?".

Y cruzamos una enorme zona verde.

—No podrás caminar sobre la hierba a partir de mañana— dice papá, que se pavonea a la cabeza de todos como si fuera un monitor de disciplina.

—¿Que qué? ¿Por qué no? —pregunto.

–Los primíparos no pueden caminar por el pasto.

Suspiro y camino sobre la hierba. Ni siquiera quiero saber qué diablos es un primíparo.

Finalmente, llegamos a un edificio más moderno. Se trata de las Residencias Wolfe, mi nuevo hogar. En la entrada, alcanzo a ver a un hombrecito carirrojo, casi completamente calvo. Los únicos que le prestan alguna atención son los nuevos, en compañía de sus padres.

–Soy el señor Watts, encargado de la residencia –dice el hombrecito con una sonrisita dirigida exclusivamente a los padres, estirando el brazo en saludo.

Se da vuelta y me habla a mí.

–Y usted debe ser Nicolás.

–Sí –respondo, pero mis antenas siempre atentas captan una reacción paterna poco positiva.

–Sí –intento de nuevo, sin resultados.

–Sí, señor –me apresuro a agregar y mamá y papá sonríen con alivio.

–Buen muchacho –dice el señor Watts (también conocido como Wattso, Wattsy, El monje loco y otra serie de apelativos cada vez más groseros con los que no quiero importunarlos).

En tanto ascendemos por los peldaños en pequeña procesión, hago un intento por aspirar los olores que flotan en el ambiente de las Residencias Wolfe: tostadas, leche agria, loción para después de afeitarse y pies sudorosos… aromas que pronto me serán muy familiares.

Al llegar al descanso, al final de las escalinatas, veo que no hay nadie en los dormitorios, de manera que, una vez Wattsy nos deja, papá y yo vamos a traer mi baúl que luego mamá amenaza con desempacar hasta que por fin logro deshacerme de los dos, mamá toda gorjeos y ojos lacrimosos, papá dando unos saltitos que constituyen el pequeño baile que significa que quiere abrazarme pero le falta el valor para hacerlo hasta que, por último, le estiro la mano y él me la aprieta.

Entonces, con voz ronca y profunda.

–Buena suerte, jovencito.

–Sí, gracias, papá.

Y quedo solo.

Quien no haya estado nunca en un internado no puede imaginar la sensación de extrañeza y soledad que se siente durante aquellos primeros días. Es como estar en otro mundo, un mundo en el que, de pronto, nos quitan todas y cada una de las cosas a las que nos habíamos acostumbrado y aparecen normas y reglas completamente absurdas para prácticamente todo.

Durante las tres primeras semanas, no se permite hacer llamadas telefónicas, de modo que escribo un par de cartas. He aquí la primera.

Queridos mamá y papá,

¿Cómo están?

¿Cómo está Jessie?

¿Cómo está mi cuarto?

¿Qué hay de nuevo en la calle Pierpoint?

¿Cómo siguen Jody, Ben, Ellie, Marlon y el resto de mis amigos?

¿Qué es de la vida del señor Harrington, nuestro vecino?

¿Cómo se encuentra su tortuga?

¿Qué tal está la tienda de la esquina donde solía comprar mis dulces?

¿Qué tal la cocina?

¿Y Londres?

Yo estoy bien, supongo.

Abrazos.

Nicky (vuestro hijo, en el caso de que lo hayan olvidado).

P.D. ¿Cómo sigue Marisa?

Sin embargo, no va a ser esta la historia de mis horribles días en un internado, la gran tragedia. No, en efecto, aunque no pueda decirse que me muero de ganas por volver al lugar, la verdad es que sí tengo algunos buenos recuerdos de mi paso por Holton. Al comienzo fue extraño pero, como las gallinas enjauladas en criadero o los presos condenados a muerte, uno se acostumbra, se institucionaliza.

Bueno, la mayoría de la gente. En mi curso, hubo una baja… no yo, que, por decirlo de alguna manera, me jubilé antes de tiempo. Estoy hablando de una víctima de verdad. Quadir. Se trata de un colega asiático que venía de Solihull. Igual que yo, llega a Holton sin un solo amigo a la vista, pero con la diferencia de que Quadir no tiene el instinto de supervivencia.

Desde el primer instante, es obvio que Quadir va a pasar tiempos duros. Por nada del mundo el tipo le va a agarrar la onda al asunto. No sólo es asiático, cosa algo extraña en Holton, sino que es sumamente inteligente, más bien rechoncho y completamente incapaz de pegarle derecho a un balón con ninguna de las piernas, aunque le vaya la vida en ello.

Pocas horas después de nuestra llegada, el resto de nosotros ya ha registrado un par de normas tácitas y básicas por las que se deben regir los primíparos (que es el estimulante apodo que reciben los estudiantes nuevos). Son unas normas sencillas.

1. No hacer nada que llame la atención.

2. No hablar a menos de que te hablen.

3. Sólo hacer bulla cuando todos los demás la hacen de modo que guardar silencio sería llamar la atención. (Ver la norma número uno).

4. Jamás negarse a hacer lo que algún mayor te ordene hacer, no importa qué tan espantosa sea la tarea.

5. Evitar a toda costa a Pringle.

Quadir, así, como si nada, con una sonrisita inocente y tonta estampada en la cara, quebranta una norma tras otra. El tipo es la voluntad de morir encarnada.

Nuestro primer día de colegio en forma, hemos terminado las clases de la mañana. Se jugó un poco de fútbol, actividad en la que muestro mi considerable pericia. Estamos descansando en los dormitorios, leyendo, pensando en casa, conociéndonos mejor unos a otros. Quadir está echado en su cama leyendo un libro como de un millón de páginas.

Entra Pringle y todos recordamos la regla número cinco.

–Café –dice, de pie en el umbral de la puerta, como si fuera el Hitler de las Residencias Wolfe.

Todos nos sentamos muy derechos y respetuosos... todos menos Quadir, que prosigue con su lectura.

–¿Quién me va a traer un café?

QUIÉN ES QUIÉN EN HOLTON COLLEGE: Pringle.

APELLIDOS: Pringle.

NOMBRE: Ninguno.

EDAD: Biológica, 17 años; mental, 5.

SEÑALES PARTICULARES: Nada buenmozo. Cabello rojo, corto. Una gran cantidad de barros le cubre rostro, cuello y hombros.

GUSTOS: Infligir dolor, terror y desesperación entre todos aquellos más pequeños que él.

AVERSIONES: Más o menos todo el mundo, pero muy particularmente Quadir.

EXPRESIONES PREFERIDAS: ¿Qué mira, gusano? ¿Qué quiere decir con nada, gusano? ¿Me está diciendo que soy nada, gusano? Le voy a hundir los dientes hasta tal punto, que para lavárselos la próxima vez le va a tocar meterse el cepillo por el mismísimo … etc., etc.

PUNTOS FUERTES: Su derecha y un pequeño promontorio de hueso en la mitad de la frente que mi Dios le dio para darle cabezazos a la gente.

PUNTO DÉBIL: Una tendencia a salirse de casillas fácilmente, seguida de manera inmediata por un impulso a matar o herir.

PERSPECTIVAS PROFESIONALES: Haría un excelente caso de maníaco homicida.

Durante casi unos treinta segundos enteros, Pringle sigue allí, de pie, observando a Quadir en el otro extremo del dormitorio, como absorbiendo la magnitud de lo que está por ocurrir a través de cada uno de sus barros y cada uno de sus pelos rojos hasta llegar al fondo microscópico pero perverso de sus sesos. Entonces, avanza sin prisa.

–Oye… si quieres… yo te sirvo un café –dice un gusanito cobarde con voz trémula, pero Pringle me ignora olímpicamente en su marcha hacia la cama de Quadir.

¡Y Quadir continúa leyendo! "¿Acaso quiere morir?", pensamos todos.

—A todas estas, ¿tú cómo te llamas? —le pregunta Pringle.

Quadir levanta los ojos y —¡Dios mío, no!— sonríe.

—Quadir Begum —contesta este, al tiempo que introduce cuidadosamente un marcador en su libro, lo cierra y estira la mano para saludar a Pringle—, encantado de conocerlo.

Algo espantoso empieza a ocurrir en la cara de Pringle. Tres cuartas partes del rostro palidecen destacando, en horripilante relieve, las cordilleras de resplandecientes y colorados barros. Ignora la mano extendida de Quadir, pero toma su libro y lo observa como un gorila que intenta entender las obras completas de Shakespeare.

—*Grandes esperanzas*— explica Quadir—. ¿Lo ha leído?

—¡Grandes bultos de …!— maldice Pringle, al tiempo que arroja el libro al otro extremo del dormitorio.

El libro golpea contra la pared a menos de un metro de la cabeza de mi amigo Paul.

Muy lentamente, y aún sonriendo con extrañeza, Quadir se sienta derecho sobre la cama. Observa a Pringle y le pregunta:

—¿No le gustan los libros, es eso?

Estamos en espera de la explosión, cuando irrumpe Wattsy, el encargado de la residencia.

—¿Todo en orden, jovencitos? —pregunta—. ¡Ah, hola, Pringle!

Wattsy, ahora un poco más nervioso porque incluso él le teme un poco a Pringle.

–¿Presentándose a los caballeros, me temo?

–Sí –contesta Pringle, que se dirige a la puerta, haciendo muecas de no mucho agrado–. Sólo… poniéndolos al tanto, señor.

–Buen chico. Yo vengo sólo para darles un par de instrucciones respecto a la limpieza y el orden general, ¿vale?

–Sí, señor.

Pringle, de pie, desde la puerta, le lanza una mirada fulminante a Quadir antes de darse vuelta y salir. Con la mirada, le quiso decir: "Estás muerto, hermanito".

Quadir sonríe.

Un internado es como una pequeña isla densamente poblada por tarados, psicópatas, lunáticos y sólo un par de seres normales y amables escasamente diseminados por el lugar. Y cuando uno está en una de estas islas, el mundo exterior parece a años luz de distancia y todas las cosas en verdad importantes, como guerras, disturbios y finales de fútbol, por sólo dar unos ejemplos, bien pudieran estar ocurriendo en otro planeta. En la isla misma, lo único que importa son los escándalos y las glorias de la vida isleña, las peleas, las rencillas y las persecuciones.

En este momento, hay una guerra declarada entre Pringle y Quadir. Y comienza de verdad, verdad a la mañana siguiente, nuestro día número tres en Holton.

Siete y media, el dormitorio se prepara para el desayuno, cuando irrumpe Pringle. Entra descalzo, cargando un par de pesadas botas color marrón.

–¡Oiga, pedazo de …! –le grita a Quadir, terminando la exclamación con un inmundo adjetivo racista–. ¡Lústrelas!

En este instante, Quadir está archivando sus notas de clase. Se gira para observar a Pringle desde el armario, en donde se encuentra, y dice:

–El señor Watts les dijo a mis padres que en este colegio estaba prohibido hacerle trabajos a un alumno mayor.

–¿Eso dijo? No me diga. Bueno, ¿pero sus papás no están aquí ahora, verdad? –comenta Pringle, que no es precisamente lo que se dice un gran conversador.

Antes de abandonar el dormitorio, deja en claro:

–Si no están lustrados en diez minutos, le voy a dejar esa cara hecha una papilla.

Ahora bien, he aquí un problema para todo el dormitorio B. Cinco de nosotros sabemos que lo más razonable es lustrar las pinches botas, pero el sexto, que resulta ser Quadir, no tiene la menor intención de hacerlo.

Y los demás le decimos:

–Tienes que hacerlo, Quadir.

–Hablaré con el señor Watts.

–Wattsy no te ve a ayudar –insiste Paul–. Sapear a Pringle sólo empeorará las cosas.

–Cada vez que Pringle se te venga encima, no podrás correr a buscar a Wattsy –opina Mike.

Cuando Quadir repite su frasecita, me interpongo:

–Dame las pinches botas –le digo–. Yo las lustro.

A pesar de que todos somos muy distintos, hay en nuestro dormitorio una especie de solidaridad. Mientras lustro las botas, maldiciendo entre dientes, alcanzo a escuchar a Quadir, rezongando.

–Está prohibido. Se lo dijeron muy claro a mis padres.

El problema es (y esto lo entendimos todos los demás por instinto) que una vez estás en Holton, las reglas se inventan sobre la marcha. No existe ni remotamente algo parecido a 'lo justo'. Cualquier promesa hecha extramuros no es más que una pérdida de tiempo y energía.

A Quadir le cuesta trabajo entender este concepto. Ahora, para un tipo que ha sacado tantos 'sobresalientes' como yo, aquello de 'tenemos que hablar, señor Morrison', la verdad es que parece más bruto que una mula.

Diez minutos más tarde, regresa nuestro Carepizza. Observa sus botas que relucen al pie de la cama de Quadir, las alza, las mira y dice:

–Mejor.

"Por favor, no," pensamos todos, "por favor, Quadir, no digas una sola palabra. No se te ocurra abrir la boca, aunque sea por variar".

–Le debes las gracias a Morrison –dice Quadir–. Él te las lustró.

Yo trago saliva.

Pringle se da vuelta muy despacio, los barros a punto de reventarse de la ira. Sus rojos cabellos erizados como los del lomo de un perro.

–Te he estado observando, Morrison –me dice–. Y no me gusta para nada tu actitud general.

–¡Dios, Quadir, un millón de gracias! –le digo tan pronto Pringle se ha ido–. La próxima vez, por favor, recuérdame no hacerte nunca más ningún favor.

–A esa gente hay que hacerle frente.

–Sí, claro –opina Paul–. Sobre todo, si quieres morir en el intento.

Ahora bien, un datico curioso. En cualquier otro lugar del mundo, de ocurrir que, alguien con una reputación de loco peligroso le tome antipatía a un tercero tres años menor que el lunático, surgiría algún asomo de simpatía por la víctima, algún tipo de solidaridad, pero en Holton no. Aquí impera una mentalidad de buitres. Pringle no le cae bien a nadie y, sin embargo, todos los alumnos mayores se unen a su juego, acosando a Quadir con apodos, escogiéndolo para que realice todo tipo de labores estúpidas y nimias. Ahora bien , a pesar de que logramos convencer a Quadir de que les siga la corriente, que no haga resistencia, Quadir insiste en no bajar la cabeza: ignora los insultos, no les muestra miedo, hace los trabajos muy despacio, algunas veces mientras repite, como si fuera un cántico del sagrado libro rojo que guarda en un cajón junto a la cama:

–A mis padres se les dijo que en este colegio estaba prohibido hacerles trabajos a los mayores.

Entretanto, nosotros rezamos porque Pringle se aburra pronto con el jueguito o por lo menos que se ponga a perseguir a otro.

–¿Por qué no le sigues la corriente? –le insisto una noche antes de acostarnos.

–Jamás lo entenderías –me dice Quadir, con esos ojitos que ya tienen ojeras del cansancio–. Si los dejas hacer, cada vez será peor. Si fueras asiático, lo entenderías.

Estamos a veinticuatro horas del instante en el que se nos permitirá llamar a casa para recordarles a nuestros seres queridos que no hemos dejado de existir, cuando la guerra entre Pringle y Quadir da un giro bastante feo.

Es sábado, por la tarde. Quadir, Paul y yo regresamos a la Residencia Wolfe después de jugar al fútbol, un partido de entrenamiento en el que marqué tres goles seguidos, Paul hizo varias gambetas brillantes y profundas por el ala izquierda y Quadir más o menos permaneció todo el tiempo rodando por tierra entre el barro.

Nos duchamos, nos cambiamos y regresamos al dormitorio. Lo primero que hace Quadir es ir a buscar en su mesita de noche su libro sagrado, su Corán.

Nota religiosa: decir que Quadir es un poco religioso valdría tanto como afirmar que Pringle sólo está medio loco. El Islam, su religión, es lo que más le importa en la vida. No que quiera convertirnos ni nada por el estilo pero, por lo menos una vez al día, se pone a leer el librito rojo y sagrado que mantiene dentro del cajón de su mesa de noche. Es su manera de rezar.

Al comienzo, le tomamos el pelo al respecto. Es decir, lo siento, pero toda mi experiencia religiosa se reduce a acompañar a mamá y papá a la iglesia en Semana Santa y en Navidad, cosa que siempre me pareció un asunto social antes que espiritual. La verdad, yo creo que Dios, o su equivalente, a esas cosas ni se asoma.

Pero con Quadir la cosa es distinta. Para él, el Corán es algo completamente sagrado. Cuando lo está leyendo, se niega a hablar. No nos permite tocarlo. Basta colocar otro libro encima del tal Corán para que se ponga como un basilisco.

Y ahora resulta que, este sábado por la tarde, el libro no está donde corresponde. Quadir contempla un rato el cajón vacío. Luego, muy lentamente, se sienta al borde de la cama, hunde su rostro en las manos y, por primera vez desde que llegó a Holton, comienza a llorar.

Lo logró Pringle, destrozar a Quadir.

Como pronto comprenderán, yo no tengo madera de héroe. Cuando leo sobre soldados que saltan fuera de sus trincheras para arremeter contra las líneas enemigas o sobre esos héroes que se lanzan de cabeza para detener a unos atracadores de banco, mi primera reacción no es decir "¡qué héroe!", sino más bien "¡qué tamaño de fanfarrón!".

De manera que no puede haber nadie más sorprendido que yo mismo cuando, en ese instante, salgo del dormitorio, bajo las escaleras y me veo golpeando a la puerta de Pringle.

Escucho un gruñido simiesco al otro lado de la puerta.

—¿Sí?

Con el corazón a mil, abro la puerta. Carepizza yace en su lecho, leyendo una revista. Un par de audífonos instalados sobre su pelo cortado casi al rape que siguen, al tiempo con la cabeza, algún ritmo Neanderthal tocado por una banda de *heavy metal*. Levanta sus ojos malos y espeta:

—¿Qué diablos quieres?

—¿Podrías devolverle a Quadir su Corán?

—¿De qué me estás hablando, Morrison?

—Del libro que tú agarraste. Dámelo y yo diré que lo tomaste prestado porque te daba curiosidad.

Pringle entrecierra sus párpados enrojecidos.

—Largo de aquí, gusanito infecto. Ya te advertí respecto a tu actitud.

—Quadir está llorando.

–Excelente.

Mientras sigo allí, de pie, sin saber muy bien qué debo hacer, Pringle agrega:

–Ya se lo devolveré cuando haya terminado de usarlo.

Con la cabeza, me hace una señal en dirección a su escritorio, en donde no veo más que un montón de papeles en desorden, pero ni rastros del libro.

Entonces, lo veo. El escritorio es demasiado bajo para Pringle, de manera que utilizó cuatro libros para levantarlo unos cuantos centímetros más. Uno de ellos es el Corán. Si Quadir llega a ver esto, sale derecho para el manicomio.

–Ese libro –digo en un último intento–, es la cosa más importante en la vida de Quadir.

–Me vas a poner a llorar –dice Pringle.

¿Qué podía hacer? ¿Agarrar el libro? ¿Hacer que Pringle me diera una paliza? ¿Volver al dormitorio y decirle a Quadir que su libro sagrado está sosteniendo el escritorio de Pringle?

No me queda otra alternativa, de manera que me dirijo al apartamento que está pegado a la residencia y que es la madriguera de Wattsy.

–¿Señor?

El encargado de la residencia está en su sala observando una vieja película que pasan por televisión. Levanta los ojos y me lanza una mirada, no precisamente amable.

–Pringle le quitó el Corán a Quadir y se niega a devolverlo.

–¿El Corán?

Le explico la situación.

Wattsy, como diciendo "por qué yo, Dios mío", se pone de pie con dificultad y me ordena volver a mi dormitorio.

Sólo faltan unos cinco minutos para el Apocalipsis.

Pringle entra al dormitorio, cargando el libro de Quadir en la mano, como un mesero carga una bandeja. A pesar de que Wattsy lo sigue de cerca, Pringle no puede evitar caminar con paso altanero. Se acerca a Quadir, que está sentado en su cama.

–Siento mucho haber tomado prestado tu libro, Quadir –dice Pringle, en un tonito despectivo pero perfectamente cortés–. Ahora quiero devolverlo.

Con los ojos fijos en el Corán, Quadir toma el libro en sus manos y acaricia el lomo. Luego, sin decir una sola palabra, lo coloca dentro del cajón.

Al salir, Pringle me lanza la más venenosa de las miradas y roza, al cruzar la puerta, el cuerpo de Wattsy.

El encargado de la residencia me mira un instante en señal de desaprobación, como diciendo: "No vuelva usted a atreverse a interrumpir mi descanso sabatino, ¿entendido?".

–A Pringle le queda prohibido salir durante un mes –dice–. Espero que esto le ponga punto final al asunto.

En el momento en el que Wattsy se da vuelta para marcharse, Quadir se acuesta en la cama, cara a la pared.

Yo me encojo de hombros, mirando a Paul y a Mike.

–Uno tiene que cumplir con su deber –digo.

–Escribe tu testamento –dice Paul.

Tres

Psicopizza

Quedarse sin permiso para salir en Holton es más embarazoso que grave. Implica presentarse una vez al día a un monitor de disciplina que, si uno está en sexto, el caso de Pringle, entonces no es más que un tipo de tu misma edad; hay que permanecer en los predios y se les informa a los padres.

Ninguna de estas cosas iba a preocupar mucho a Pringle. En primer lugar, porque fuera de los predios nunca ocurre nada y porque jamás he oído mencionar para nada a los padres de Pringle. Quizá diecisiete años de vida compartidos con un lunático como

Carepizza fueron suficientes para que pusieran los pies en polvorosa.

Pero está molesto. Quiero decir, muy molesto.

El domingo por la mañana, ya circula por todas partes que Pringle, tarde o temprano, me la va a cobrar. Los mayores empiezan a sacudir la cabeza y a reírse cuando pasan a mi lado o entran a nuestro dormitorio sin otro propósito que dar vueltas por ahí, como tiburones que han olido sangre. Cuando ocurra, que ocurrirá, no quieren perderse de la acción.

No en vano se cría uno en una gran ciudad, y uno aprende a evitarse problemas, pero este preciso día, el peor de todos, bajo la guardia.

Esa mañana, la cola para el teléfono no está muy larga; sin embargo, el aparato permanece ocupado. Para cuando logro comunicarme con mi casa, son por ahí las diez y media.

–¡Ah, hola! ¿Qué tal todo?

Se trata de mi hermana, la gran Marisa, que contesta al teléfono como si yo hubiera salido de compras a la tienda de la esquina hace cinco minutos.

–Hola –le digo–. ¿Qué hay de nuevo?

Honor a la verdad, es extraño estar hablando de nuevo con Marisa. Casi que me da un poco de timidez.

–Lo mismo de siempre, la vida sigue su curso. ¿Y tú?

Hago una pausa. ¿Por dónde empezar? ¿Quadir? ¿Pringle? ¿El hecho concreto de que en cualquier momento el orangután mayor del lugar puede aparecer por cualquier esquina y cortarme la cabeza?

–Yo estoy bien –le digo, la comunicación jamás ha sido nuestro fuerte–. ¿Mamá y papá están en casa?

–Eh, no, no precisamente.

–¿Qué quieres decir? ¿Están fuera?

–Mamá está en misa y papá va a pasar el fin de semana por fuera.

–¿Por fuera?

La idea de mamá atravesando uno de sus ataques místicos más o menos la puedo manejar, pero hay algo muy extraño en la ausencia de papá.

–Un congreso o algo así– dice Marisa, que agrega–: no lo creo. Mejor dicho… –titubea, buscando el cliché indicado–. La verdad es que las cosas no andan muy bien por estos lados.

Me doy cuenta de que mi hermana intenta decir algo importante. Ahora bien, esperar a que por fin diga con claridad qué es lo que ocurre, es como observar a alguien que intenta cruzar una quebrada sin mojarse los pies, pero que encuentra las piedras en las que puede apoyar los pies, en el caso de mi hermana, sus lugares comunes, muy lejos las unas de las otras.

–¿Quieres decir que papá y mamá…? –vacilo.

–Correcto. Como la noche y el día, agua y aceite.

–Marisa– empiezo a perder la paciencia–. Por favor, dime qué…

—Es todo el santo día.

De pronto, se ha echado de lleno en la quebrada para alcanzar el otro lado y al diablo con las piedras de apoyo.

—Peleas. Todos los días. No sé qué hacer, Nicky. Simplemente me ignoran. Por lo menos cuando tú estabas aquí los distraías, pero ahora la cosa se pone cada vez peor. Es más, no creo que papá esté en ningún congreso.

—Tranquila, Tigre —le digo, y de pronto es como si yo fuera el hermano mayor.

—No es tan fácil —chilla tan fuerte Marisa que tengo que colocar el auricular a distancia—. ¿Por qué tenías que irte?

—Ah, claro —hago esfuerzos por no mostrar lo golpeado que me tiene la noticia—. Estoy a miles de kilómetros de casa y sigue siendo mi culpa. ¿Oye, no puedes, digamos, hablar con ellos?

—Después de todo, no es mi vida, ¿no? —suspira Marisa, un poco más tranquila—. Hay de todo en la viña del señor.

—Bueno, eso me parece mejor —le digo, y antes de que empiece a recordarme que estamos en un país libre o alguna otra gran reflexión por el estilo, me despido.

A paso lento, recorro el corredor, dejo atrás el dormitorio y cruzo los patios y las columnatas de Holton. No, no es un país libre, pienso al observar lo que me rodea, y no siempre es cierto que no hay mal que por bien no venga y, por lo menos, por el momento, mi hogar no tiene nada de dulce.

La verdad es que nada de lo que me ha contado Marisa realmente me sorprende. Desde que tengo memoria, mis padres han sido como dos piezas de un rompecabezas que sólo ajustan si se les hace fuerza. Cuando yo era muy joven, solían reírse mucho los dos, pero eso parece haber sido hace una eternidad. Hoy en día, mamá ya no se burla de los vestidos de papá y he visto que se cruzan unas miradas que no me gustan ni cinco. Unas miradas frías, como de desencanto.

Los meses anteriores a mi venida a Holton las peleas entre ellos se hacían cada vez peores. Era como si cuando Marisa y yo fuimos pequeños, ellos hubieran hecho el esfuerzo por contenerse, pero ahora, que hemos crecido, suponen que lo podemos tomar con calma. Ja. No se les ocurrió que entre uno más entiende, peor la cosa.

Muchas de las peleas durante el último año eran sobre mí.

Opinión de papá	Opinión de mamá
Es perezoso.	Está creciendo.
No le interesa nada.	El fútbol, su computadora.
¿Acaso no tiene amigos?	Le gusta estar solo.
Ya es hora de que siente cabeza.	Uno no crece de la noche a la mañana.

En Holton, sí.	Ah, sí, claro. Holton te hizo el hombre que eres.
¿Y qué quieres decir con eso?	Sabes perfectamente qué quiero decir.
Por lo menos hice algo con mi vida.	Sí, algo que a mí no me gusta.
Etc., etc., etc.	

Como la táctica de Marisa consistía en salir corriendo y encerrarse bajo llave en su cuarto, entonces me tocaba desviar la atención de la pelea, preguntándole algo a papá sobre mis tareas o simplemente escuchar la riña con ojos lacrimosos. Así, por fin, la batalla daba tregua y aunque quedara una especie de guerra fría en el Castillo Morrison, por lo menos se había evitado más derramamiento de sangre.

Hasta entonces.

–¡Hola, Nicky!

Levanto la vista y veo que me estoy acercando a la Residencia Wolfe y que algunos de mis amigos están jugando al fútbol en la zona verde a la que se accede por la puerta de atrás.

–Te necesitamos –grita Paul–. Vamos perdiendo dos cero.

Lo último que quisiera hacer en este instante es jugar un partido de fútbol, pero la única otra alternativa es sentarme en el dormitorio mientras Pringle merodea en el piso de abajo, de modo que.

–Claro, ¿por qué no?

Craso error.

No llevábamos jugando más de cinco minutos, cuando Pringle sale de la casa como si nada. Observa el partido un rato, manos en los bolsillos y luego pregunta, con una sonrisita malévola, que si lo dejamos jugar.

Viniendo de Pringle, no es una pregunta, es una orden.

–Claro –dice Paul, sin el menor entusiasmo.

Pringle hace su entrada al campo de juego y, aún después de ver que no llevaba puestos sus tenis sino las pesadas botas que alguna vez lustré para bien de Quadir, repito, incluso después de todo esto, no me pillo, no veo, no comprendo que Pringle no está aquí por amor al fútbol. Es más, viéndolo ahí, riéndose mientras que chicos dos años menores que él lo bailan con un balón, casi parece humano.

Unos pocos minutos después, he olvidado todo respecto a Pringle y empiezo a jugar un poco, me relajo y juego.

El asunto ocurre cerca de la portería contraria. Estoy en posesión del balón y me enfrento a Deverel, un defensa grandote, reconocido por sus inocentes zancadillas para tumbar a todo delantero que resulte más rápido y más hábil que él. Veo cómo se aleja rodando el balón, al tiempo que también yo ruedo por tierra.

Lo que sigue es en cámara lenta: Pringle se me viene encima como un gigante con acné volcánico. Durante las fracciones de segundo que le toma cubrir el metro que nos separa, lo entiendo todo con claridad. Por qué está jugando, qué esperaba y lo qué está por ocurrir.

Veo cómo el arco que describe su pierna pronto cubre todo mi campo visual y culmina en una tremenda explosión de mi cabeza, generando ruidos como ii?! pu?… mie!! co…) (…?)

Y me sumo en la más profunda oscuridad.

–¿Dónde estoy?

Sí, en efecto, son las palabras que pronuncio cuando vuelvo en mí. Evito el siguiente cliché: ¿Qué ocurrió? porque, tan pronto mis neuronas se han recuperado y sacudido el polvo, sé con dolorosa precisión qué fue lo que ocurrió.

Sí, Pringle utilizó mi cabeza como balón.

–Estás en la enfermería del colegio.

Se trata de la señora Dover, enfermera encargada, sentada a los pies de mi cama. Con un solo ojo, alcanzo a ver que sonríe.

–Será mejor que llame al doctor –dice–. Quiere estar de vuelta en su casa para el almuerzo dominical.

Maravilloso, pienso, medio atontado y adolorido. Después de que lo han pateado a uno, prácticamente a la luna, resulta que importunamos a los demás. El doctor entra presuroso. Un tipo flaco y joven, todo estetoscopio y prisa y, como si se tratara de un objeto y no de un ser humano, me tantea y alumbra mis ojos con una luz.

Farfulla algo como que estaré bien después de una buena noche de descanso y sale a las carreras.

—Fue un golpe terrible —dice la señora Dover, al volver a la habitación.

Me gustaría decirle, "no me diga, ¿será por eso que siento un par de puercoespines bailando rock en la pista psicodélica de mi cráneo?".

—Sí —le digo.

Coloca su mano en mi frente. La siento fría. Cierro un ojo. Me gusta esta señora Dover. Es la primera persona en Holton que me ha tratado como a un ser humano y no como a un delincuente menor.

¡Un minuto! ¿Y mi ojo? Procedo a abrirlo. ¿Qué diablos pasa con el otro? Me llevo la mano a la cara con mucho cuidado. Gravísimo error: mi frente ha doblado su tamaño.

Sin cruzarnos una sola palabra, la señora Dover se levanta y me trae un pequeño espejo del extremo de la habitación. Lo coloca frente a mi rostro.

—¡Dios! —exclamo, sin fuerzas.

Hablando de cosas horribles: un gigantesco pliegue de carne deforme, en púrpura y rojo, cubre mi ojo derecho. Parezco un doble perfecto del hombre elefante.

–¡Dios mío, sí señor! –dice la señora Dover–. Te conviene dormir. Mañana te sentirás mejor.

He aquí un hecho muy extraño que no suelo contarle a mucha gente. Puedo ver el futuro. No cosas como quién va a ganar el campeonato profesional de fútbol el próximo año, sino cosas íntimas, personales. Por ejemplo, sabía que tan pronto me fuera de casa, algo iría mal entre mis padres. Sabía que me vería en problemas con un tipo como Pringle, mucho antes de encontrarme con Carepizza. Sabía que no iba a durar mucho tiempo en Holton.

Quizá sea un sueño o quizá, mejor, allí acostado en la oscuridad, una vez la señora Dover me ha dado una pastilla, lo que ocurre es que pienso con más cuidado que el usual. En fin, todo lo que sé es que para cuando despierto, a la mañana siguiente, no tengo ni la menor duda respecto a lo que debo hacer.

Me voy a casa. Me largo de aquí.

El día transcurre muy despacio. En particular, los cinco minutos durante los cuales Wattsy viene de visita, dando vueltas alrededor de mi cama, como quien ha sido bien informado respecto a cómo tratar a un paciente, pero no ha acabado de entender el concepto.

–¡Vaya, vaya, Nicolás! –dice (de modo que de un momento a otro dejo de ser Morrison a secas)–. No se prospera en ningún deporte sin sufrir un accidente de vez en cuando.

Casi le pregunto, '¿accidente?'. Pero mi cara no está en condiciones para mostrar ningún tipo de reacción. Se crea una breve pausa y presiento que Wattsy espera que yo haga lo propio y lo deje salir del atolladero en el que está.

–Sí, señor –digo por fin–. En el futuro, tendré que tener más cuidado cada vez que quiera meter la cabeza.

–Buen muchacho –dice Wattsy, sonriendo con alivio.

–¿Cuándo me sacan de aquí, señor?

–Mañana en la tarde, o a la mañana siguiente, si así prefiere. Basta decirle a la señora Dover cuando sienta que puede hacerlo.

–Sí, señor.

Perfecto.

Sólo me falta un problema por resolver y lo haré cuando Paul y Quadir me visiten esta tarde.

–Necesito dinero –les digo.

–¿Aquí? ¿Para qué? –pregunta Paul.

–No me preguntes para qué –digo y miro a Quadir–. Necesito veinte libras esterlinas como mínimo.

Ahora bien, decir que Quadir es cuidadoso con su dinero es parecido a decir que el Papa es medio religioso. Sólo Paul y yo sabemos que Quadir guarda unos cuantos billetes debajo del colchón, porque no confía en el sistema establecido en el dormitorio para guardar la plata de bolsillo.

–Te pagaré –le digo.

El pobre Quadir está sufriendo lo no dicho. Adora su dinero, pero nadie ha sacado tanto la cara por él como yo.

–Sólo tengo un billete de diez –dice, con voz muy débil.

–Vamos, Quadir –dice Paul–. A Nicky le acaban de tumbar los dientes a patadas por ti.

Quadir asiente y se levanta.

–Oye, y tráeme mis *jeans* y una camiseta, por favor–, le digo.

Quadir frunce el ceño y se va, encogiéndose de hombros.

–Si no trae el dinero en cinco minutos, me uno a la banda de Pringle– dice Paul.

Pero no debimos preocuparnos. Cuando Quadir vuelve, me entrega mis ropas de civil y luego un atado de billetes que me pasa como si fuera un traficante de drogas culposo.

–No te preocupes por pagarme –dice, con voz muy ronca.

Observo el dinero todavía húmedo de sus manos. Veinticinco libras.

–Gracias, Quadir –le digo.

La señora Dover no ha sido enfermera tiempo suficiente para saber lo bien que podemos mentir. El martes por la tarde, cuando le digo que me siento lo suficientemente bien como para salir de la enfermería, la cosa le parece lo más natural del mundo.

—¿Estás seguro de que te sientes mejor? —pregunta.

—Me siento bien —respondo y, en efecto, la hinchazón ha bajado y de nuevo tengo dos ojos; la cabeza, sin embargo, aún me duele un poco.

La señora Dover anota algo en la tablilla que carga, arranca una hoja y la mete en un sobre.

—Entrégale esto al señor Watts cuando regreses al dormitorio.

Asiento con la cabeza y recibo el sobre.

—A todo esto, ¿el señor Watts te espera esta tarde?

—Sí, señora Dover —le digo, soltando la mentira con la más absoluta calma.

De hecho, el señor Watts supone que yo salgo a la mañana siguiente, lo que me da mis buenas doce horas para largarme.

Me visto, empaco mi pijama, un cepillo de dientes y otro par de cosas dentro de un pequeño morral. Me despido de la enfermera encargada y salgo de la enfermería en dirección a las Residencias Wolfe. Una vez me he perdido de vista, vuelvo sobre mis pasos, tomo el camino de la larga entrada al colegio y observo, con toda la tranquilidad de la que soy capaz, a los muchachos que juegan al fútbol en las canchas aledañas. Quizá entre ellos esté Pringle. Quizá debiera acercármele y hacerle saber que todo es culpa suya. Carepizza frente al hombre elefante. Lo último en películas de horror.

Pero lo olvido. Qué más da. La historia de Pringle. De hecho, la historia de Holton. Sigo mi camino a lo largo de la entrada y pronto cruzo el portón y estoy fuera.

Libre.

Cuatro

El fugitivo

Solo, por una carretera rural, fugitivo, con la cara amoratada, un morral y veinticinco libras en el bolsillo pero, por raro que parezca, nada temo.

A unos quinientos metros de la entrada de Holton, me escondo detrás de unos árboles y me pongo mi camiseta y mis *jeans*. Estoy en el proceso de meter mis pantalones oscuros del uniforme del colegio dentro del morral, cuando comprendo que no los voy a volver a necesitar, de manera que los arrojo en una cuneta. La camisa blanca y la corbata sí las guardo.

Lo único en lo que pienso es en cosas como que esta noche estaré viendo a mis padres, esta misma noche resolveremos todo el asunto de una vez y para siempre. Les contaré sobre Pringle. Los moretones en mi cara se encargarán del resto. Creerán que me salvan cuando llamen por teléfono a Wattsy para informarle que jamás volveré a Holton aunque, por supuesto, sólo se estarán salvando a sí mismos, salvando la familia.

De nuevo en camino, intento hacer *autostop* hasta que, después de unos diez minutos, se detiene a un lado una furgoneta conducida por un tipo de menos de veinte años.

–¿Plymouth? –le digo.

–Puede ser. Súbase, hermano.

El tipo me mira de vez en cuando.

–¿Tuvimos una gresca? –pregunta.

Por un instante, no logro saber de qué me está hablando. Entonces recuerdo mi cara.

–Jugando al fútbol –digo–. Un patadón.

–¿En qué puesto juega, entonces?

–Delantero.

–¿El hombre que se cubre de gloria, pues?

–Más o menos –digo, y me alegro de que la conversación sea sobre fútbol.

Ya llegando a la pequeña ciudad, me cuenta que es hincha del equipo de Plymouth (me cuido de no soltar un chiste al respecto) y en menos de cinco minutos, hemos llegado a la estación de tren.

–Nos vemos, superestrella –dice, al tiempo que estaciona la furgoneta detrás de un taxi.

–Bueno, gracias –le digo.

–De pasadita –agrega el tipo, señalando mi morral con la cabeza cuando me estoy bajando–, yo de ti, me desharía de la corbata, te delata.

Me guiña el ojo y se marcha.

Allí mismo, de pie, le echo una mirada al morral y veo la corbata de Holton, colgando. La enrollo en la mano con disimulo y la arrojo en un bote de basura.

De pronto, siento un poco de frío, de manera que me pongo la camisa blanca sobre la camiseta y me cuido de dejarla sin abotonar, por fuera de los pantalones. Así nadie me podrá tomar por un estudiante, escapándose de algún internado.

El tren entra como un suspiro y puntual por milagro. Tararea algo entre dientes, busco una silla sola y tranquila, chequeo mi dinero (me quedan catorce libras, veinte peniques) y, mientras miro por la ventana, hago mi plan de vuelo.

¿Ustedes qué opinan? ¿Que me iré derecho a casa para abandonarme a merced de mis padres, cierto?

Están bromeando. Está muy bien arrojarse a merced de los padres pero, después de que uno se ha prosternado ante ellos, después de lloriquearles de rodilla un rato, empiezan a cambiar. La conversación pasa a cosas como la necesidad de poner los pies sobre la tierra, la importancia de vivir en la realidad y, tan pronto esas pocas palabras, 'vivir en la realidad', se pronuncian, estamos en problemas.

De acuerdo, digamos que voy derecho a casa y le caigo a mamá. Ella se alegra de verme, claro, quizá un tanto impresionada por el estado de mi cara. Luego llega papá y encuentra a su hijo en la cocina, hablando con su mamá, es decir, no con los dos pies sobre la tierra, es decir, no en la realidad.

De manera que mi plan es el siguiente:

1. Al llegar a Londres, me subo al metro hasta la estación de St. Paul y luego voy a pie hasta la oficina de papá, que he visitado un par de veces antes.

2. No voy a entrar de sopetón; no quiero tomarlo por sorpresa, preocupado como estará con su trabajo, de manera que esperaré afuera.

3. Él estará cansado al final de un duro día de trabajo pero, cuando vea aparecer, de entre las sombras, a su único hijo, rostro juvenil horriblemente desfigurado… la escena será la imagen viva del más apoteósico encuentro familiar.

4. Sugeriré ir a un MacDonalds a discutir la situación. Aunque por regla general él odia los MacDonalds, estará tan conmovido por los raros sentimientos paternales que lo agobian, que acepta.

5. Al calor de un *Big Mac* (ya me estoy muriendo de hambre), le cuento todo. Al terminar mi historia, él, muy conmovido, se yergue y dice:

–Este es tu hogar, hijo mío. Mañana mismo llamo al señor Watts y le diré que todo ha sido un horrible error, que te vamos a sacar de Holton.

6. De vuelta a casa, cunde la felicidad, como en un programa de los Waltons. Mamá y papá se miran a uno al otro sobre mis hombros e incluso Marisa se permite una sonrisa.

7. Suave final difuminado.

8. Fin.

Está bien, lo admito. Soy ingenuo, un extraño en los asuntos del mundo de la realidad. Las cosas iban a terminar de modo muy distinto, muy, muy distinto a lo que yo esperaba.

Frente a la calle de la oficina de papá, hay un lugar en el que venden sándwiches y es justamente allí en donde espero desde las 5:45 p.m. hasta un poco después de las 6:15. Después de pagar el metro y un par de Coca-Colas, me quedan un billete de diez y un poco de cambio.

De súbito, papá está ahí, de pie, en las escalinatas que suben a la oficina; consulta su reloj.

Papá. Y su secretaria.

Al principio, todo esto no me parece raro. "Vamos, vamos, papá", me digo, "despídete de ella como la haría un buen jefe, pero date prisa, mira que tu hijo te espera para darte la sorpresa de tu vida".

Entonces, veo que descienden las escalinatas juntos, giran a la izquierda y siguen caminando muy despacio y muy tranquilos, más como lo haría una pareja que un par de empleados de una oficina, y además, alejándose de la estación del metro. Ella levanta la mirada para observarlo. Él la baja para hacer lo mismo y entretanto pienso, un poco desesperado, "deshazte de ella, papá", cuando por fin veo su cara.

Ha cambiado de algún modo.

Los sigo, desde este lado de la calle. Caminan un par de cuadras sin la menor prisa hasta que resuelven entrar en una especie de bar especializado en vinos.

–¡Qué maravilla! –me digo–. ¡Definitivamente la gran maravilla!

Sólo se trata de la experiencia traumática más grande de mi vida y papá resuelve invitar a su secretaria a una copa de vino.

Considero la posibilidad de entrar al bar, acercarme tan fresco como una lechuga, y decirle:

–Hola, papá, ¿podemos hablar? –pero sospecho que no sería una buena estrategia.

Diez o quince metros más abajo, al otro lado de la calle del bar, hay unas escaleras. Me siento allí, a observar el bar.

Esta mujer, la secretaria, la conozco. ¿Cómo es que se llama? Josefina, eso es. La última vez que visité a papá, ella me charló, me trajo una Coca-Cola. Me gustó: joven, pelo crespo negro y, a diferencia de Marisa y todas sus amigas, esta mujer había descubierto que podía sonreír y reír y ser normal. Otra cosa: tampoco andaba todo el tiempo tocándose el pelo… cosa que la convirtió en única entre todas las mujeres que conozco.

Estoy sumergido en mis pensamientos, abrazado a mi morral, porque empieza a hacer frío, cabizbajo, cuando me sorprenden, de pronto, un par de enormes pies frente a mí. Levanto la cabeza y ¿qué veo? Un policía.

–Hola –dice, en tono amistoso–. ¿En qué andamos?

Me pongo de pie.

–Espero a mi padre –le digo, haciendo un gesto con la cabeza en dirección al otro lado de la calle–. Está en una reunión de negocios. Ya pronto sale.

Incluso a mí me parece todo muy convincente. El policía, un tipo joven, mira al otro lado de la calle.

–¿Me puede dar su nombre? –pregunta.

–Nicolás Morrison.

"No parece estar huyendo de nada", casi lo oigo pensar. "No tiene ni pinta ni tono de fugitivo".

–¿Qué le ocurrió en la cara, Nick? –pregunta, sospechoso.

–Una patada en un partido de fútbol.

–Curioso jueguito ese, ¿no? –dice, riéndose.

"Como para morirse de la risa", pienso.

–Sí –digo–, curioso.

–Bueno, Nick –dice el policía en tono más oficial–. Voy a chequear con la jefatura.

Pero antes de que pueda preguntarle qué diablos va a chequear, ya ha sacado una especie de *walkie-talkie* del bolsillo del pecho.

–Agente Marselis –dice–. Jovencito sospechoso, ¿chequean la lista de estudiantes ausentes, por favor? Morrison... Nicolás Morrison.

Espera uno o dos minutos. Luego crepita el *walkie-talkie*. El policía asiente, se despide y se vuelve a mí.

–¿Tiene algún documento de identidad, Nick? –pregunta.

Pienso un instante.

–Una etiqueta con mi nombre –le digo, al tiempo que le muestro el revés del cuello de mi camisa.

–N. Morrison –dice, leyendo en voz alta.

Mientras el policía observa mi camiseta como si allí estuviera impreso el capítulo entero de un libro veo, por encima de su hombro, que papá sale del bar con Josefina.

–Allí sale, por fin –le digo, poniéndome de pie y camino al otro lado de la calle–. Muchas gracias, señor agente.

Afortunadamente, papá se aleja de mí, de manera que, para cuando he cruzado la calle, su espalda está a unos diez metros de distancia. Miro hacia atrás y

veo que el policía sigue su camino, así que me refugio en la oscuridad.

Ahora caminan muy despacio, pero no logro saber a ciencia cierta qué está pasando. Entonces, ocurre algo que me deja frío: ¡Josefina, la secretaria, mete
su mano por entre el brazo de papá! Caminan de
gancho un par de metros más. De pronto, mi padre
le dice algo al oído y lanzando una miradita nerviosa por encima del hombro de ella, la suelta del brazo.
Se ríen ambos, como de alguna bromita personal
entre los dos.

¡Ay, no! No puede ser. No me cabe en la cabeza. Se
trata de mi papá, no de cualquier viejo ejecutivo verde al que le gusta su secretaria, como ocurre en cualquier telenovela de medio pelo o su equivalente.

Mi primer impulso es darme vuelta y salir corriendo, borrar de mi cabeza lo que acabo de ver,
pero no tengo dinero suficiente para el tren de vuelta
a Plymouth. De cualquier modo, ya boté mis pantalones y mi corbata. Me recuesto contra la pared, el
corazón a mil, los ojos bien cerrados. "Quizá", pienso,
"quizá no puedo ver el futuro con claridad porque
este asunto me agarró por sorpresa".

Estoy en estado de shock.

Al abrir mis ojos, ya no veo a mi padre ni a su secretaria o novia o lo que quiera que sea por ninguna
parte. Corro a la esquina y allí están, a unos cinco
metros, callejón abajo, caminando pegaditos como si

fueran un par de patéticos adolescentes enamorados o algo por el estilo.

Quiero gritar.

Pienso en mamá. En aquellas noches cuando papá solía llegar tarde a casa de su trabajo y sí, todo para sostener a su familia. Juro que si en este momento uno de esos autobuses de dos pisos gira a toda velocidad por la esquina y se monta sobre la acera y aplasta a la parejita de farsantes, arrancándoles la vida, juro que me importa un pito.

Unos pocos metros más allá, llegan a un restaurantico muy romántico, se detienen, entran, la mano de él le roza a Josefina lo que él mismo insistía en que Marisa y yo llamásemos el lugar donde la espalda pierde su santo nombre.

¡Ja! ¡Santo nombre! Por lo mucho que sabía del asunto.

A través del ventanal, veo a un mesero mariposeando alrededor de ellos como si se tratara de sus mejores y más antiguos clientes. Los conduce a una mesa al fondo del restaurante y mi padre le corre la silla a su novia. Los buenos modales siempre le parecieron la gran cosa.

De pie, en la calle, siento que se me empañan los ojos. Papá, ¿cómo te atreves? Siempre lo respeté a pesar de sus fallas. Ahora no era más que otro cuarentón con su joven secretaria. Esto sí que era el colmo de los clichés, uno que hasta a Marisa le hubiera dado vergüenza. Estoy tan alterado que durante un par de minutos olvido que me muero de hambre y de frío… y de miedo.

A lo que cae la noche me siento sobre la acera de un pequeño callejón, recostado contra la pared, los ojos fijos en la romántica escena a la luz de las velas que ocurre al otro lado del callejón. Intento entender, verle sentido a lo que ocurre.

Para mí fue una revelación aquella primera vez que vi a papá, lejos de la familia, dedicado a sus negocios. Aquella noche íbamos a ir a ver una película o algo así y, como yo estaba en vacaciones, se me permitió pasar la tarde en la oficina de papá, como dándole gusto al pequeño Nicky.

Al comienzo, medio intentó explicarme qué era lo que hacía utilizando una jerga rara, llena de términos como 'certificados a término' y 'eurobonos', pero estaba muy ocupado, el teléfono no dejaba de repicar, los ojos clavados en la pantalla del computador al lado de su escritorio como si se tratara del mejor programa de televisión jamás visto, de manera que, después de un rato, me senté en una esquina, chupando a sorbos una Coca-Cola, gentileza de Josefina, la maxi super sexy secretaria, para observar desde allí la acción a distancia.

Y viendo a mi papá en su escritorio, febril haciendo plata, absorto como un piloto de jet supersónico en su cabina de mando, comprendí que estaba frente a otro hombre, que el míster decencia y rigurosos modales que yo conocía en casa, aquí estaba, cosa increíble, completamente relajado y a sus anchas.

¡Maldecía, decía groserías!

En serio. Hablando por teléfono con algún otro encorbatado, de pronto, la conversación tomaba el siguiente tenor:

—Bueno, dígale a Smith que empiece a mover el … De lo contrario va a volar … al cielo y yo mismo lo llevo a patadas en el … hasta el … banco.

No precisamente las posaderas, ni el fin del santo nombre de la espalda.

—¡Dios! —le dije, cuando tiró el teléfono como si hubiera querido aturdir algún insecto que caminara sobre el escritorio— ¡Qué tipo tan duro!

Entonces, me soltó una sonrisita medio culposa, medio orgullosa que nunca antes le había visto. Se veía tan joven.

—Es la única manera de que algunos entiendan, Nicky.

—Te entiendo, papá —dije.

—Si le cuentas a mamá que digo estas cosas, puedes estar seguro que te agarro a patadas en el … hasta la … casa.

Nos reímos, ambos, como si fuéramos viejos compinches y me sentí bien, tratado como un adulto. Acto seguido, volvió sobre el teléfono y sus eurobonos y certificados y bla, bla, bla y opciones de compra y bla, bla, bla, maldiciendo de vez en cuando, guiñándome el ojo, sonriendo. En otras palabras, como diría Marisa, más contento que un marrano revolcándose en su propia caca.

Ahora, en la calle, tirito. Estos recuerdos no han ayudado ni cinco para mantener el calor.

Curiosamente, esta noche lo veo como lo vi aquella vez. Su rostro, su comportamiento, cambiado, distinto.

Oscureció. Me pongo, muy despacio, de pie. Iré a casa, no diré una sola palabra sobre lo que he visto y mañana tomo un tren para volver a Holton. El futuro, me digo, tampoco es tan negro, no se ha muerto nadie ni nada, es como de un gris oscuro, como un vestido de papá. Me duelen los músculos de estar sentado sobre el frío pavimento.

Sin pensar en lo que hago, cruzo la calle en dirección a las luces del restaurante, arrastrando mi morral. Me coloco de pie un instante frente al ventanal y observo la calidez interior a la luz de las velas. Algunos de los comensales levantan la mirada. Los veo susurrar entre sí pero, a pesar de que papá está cara a mí, está tan ocupado con los ojos de su secretaria, quien le cuenta alguna historia tan fascinante y cautivadora, que pasa un buen rato antes de percatarse de mí.

Entonces, de súbito, papá me ve; su único hijo, convertido en una piltrafa humana, cubierto por una delgada camisa blanca, observándolo desde la oscuridad. Nos miramos el uno al otro unos cinco segundos y es como si papá se preguntara: "¿Estaré soñando? ¿Será que me remuerde la conciencia y por eso veo cosas?". Entonces, intenta levantarse de su silla, como quien acaba de ver a un fantasma.

Me desvanezco en la noche cruzando la calle y sigo callejón abajo. Nada que yo pueda decirle le interesará más de lo que Josefina tenga para contarle. Lo veo, de pie, a la puerta del restaurante, escudriñando la calle.

–¿Nicolás? –pregunta–. ¿Eres tú, Nicky?

Debiera sentirme culpable pero lo que hago es correr a la estación del metro, el estómago hecho un nudo de ira. Imagino que lo mismo le ocurriría a cualquiera que después de haberlo arriesgado todo, después de escapar de un internado, se encontrara a su propio padre disfrutando de un momento romántico con la secretaria.

Papá, enamorado. De su pinche secretaria.

Excúsenme si me vomito.

Cinco

Resplandores de la gran ciudad y un gran problema

La cosa se complica… cada vez más. Cuando uno cree que ya tocó fondo, cuando se piensa que es imposible caer más bajo, otro hueco más profundo abre sus fauces y empezamos a rodar como si el fondo no pudiera ser otro que los mismísimos infiernos.

¿Mucho dramatismo? Pues sí, lo fue. Y aquella noche, la peor parte.

Llego a casa a eso de las diez o diez y pico. "Sólo tengo que timbrar", me digo. Cuando mamá haya terminado su arrebato de recepción, le contaré lo ocurrido en Holton y ya veré después qué hacer respecto a lo de papá.

Pero apenas llego allí, en la entrada de mi casa, vacilo. Alcanzo a escuchar dentro de la casa el sonido de la televisión. Me acerco a la ventana de la sala y, a través de una ranura que deja la cortina, alcanzo a ver a Marisa, despatarrada ocupando como un 90% de la superficie del suelo, jugando con el pelo; mamá, en el sofá y Jessie dormida a su lado. Sé, entonces, que entrar así, de buenas a primeras, tiritando de frío, la cara hecha un Cristo y la horrible certeza del paradero de papá, sería una mala idea.

De cualquier modo, aunque no lo pueda explicar, me es imposible tocar el timbre y hacer añicos la paz de la familia. Quizá mejor volver mañana, resolverlo todo después. Quizá no. Necesito pensarlo todo otra vez.

En el parque que solía cruzar camino al colegio, hay un pequeño refugio. Me dirijo allí. En el camino, veo unos retazos de alfombra que han dejado fuera de una casa vecina. Me hago a un par de pedazos y luego desocupo la bolsa plástica en la que está metida la basura, cuidándome de no regar el mugre sobre la acera. Aquello me da risa, durmiendo en la calle y preocupado por la basura. Mamá se sentiría orgullosa. La bolsa no huele muy bien, pero con los pedazos de alfombra haré una especie de saco de dormir.

Ojo a esto, scout distinguido del año.

Pasar por encima de las verjas del parque resultó cosa fácil y, por fortuna, los amantes y novios de la vecindad se han tomado la noche libre de modo que el refugio está desocupado. Me toma diez minutos preparar la cama, utilizo el morral como almohada.

Allí acostado, mientras escucho el rumor lejano de la ciudad, pienso en mi familia y en el tierrero en el que estoy metido. En esta noche específica no me pongo a contar ovejas, sino las miles de razones que tengo para odiar a mi padre.

1. Es un mentiroso.

2. Hace que se mata trabajando cuando en realidad lo que hace es salir con su secretaria.

3. No piensa sino en la plata.

4. Es probable que me enviara a Holton sólo para quitarme de en medio.

5. Piensa que todo lo que los demás hacen está mal hecho.

6. Frío y tieso como una tabla.

7. Me regaló la perrita Jessie sólo para mitigar la culpa que le produjo echarme de la casa.

8. Maldice y finge que no lo hace.

9. Se queja de la cocina de mamá a pesar de que él mismo podría cocinarse algo si sólo le diera la gana.

10. Cree que es tan perfecto que nunca tuvo el menor problema en el colegio.

11. No hace más que criticarme.

12. Es un hipócrita ciento por ciento.

13. Bebe…

Debí quedarme dormido como en la falla número treinta y nueve porque lo siguiente que recuerdo es un condenado mirlo piando a voz en cuello (si me permiten la expresión) desde un árbol a dos centímetros de mi cabeza.

Abro los ojos. Sobre el techo y al otro extremo del parque, veo el primer resplandor luminoso de la madrugada. La vida sigue su curso, como diría mi hermana.

Me duelen los huesos, me levanto y arrojo el atado que fuera mi cama en un bote de basura cercano. Es como si la cabeza no hubiera dejado de trabajar mientras dormía en el refugio, porque ahora sé, con absoluta seguridad, que jamás volveré a Holton. Más sorprendente aún, comprendo que tampoco quiero volver a casa mientras no haya reflexionado sobre el asunto entre papá y mamá.

Necesito tiempo para pensar.

Quiero que también ellos lo piensen.

Ah, sí, quizá también quiero castigarlos un poco.

¿A quién recurre uno cuando se está en la calle, se tienen ocho libras con sesenta peniques en los bolsillos, la cabeza es un solo rollo y no se tiene dónde quedarse?

A Marlon Johnson, ese es el tipo al que se recurre.

En mi antiguo colegio, mucha gente, profesores inclusive, consideraban a Marlon una mala influencia. No les gustaba su manera de caminar, ni la sonrisita que le cruzaba la cara cuando contestaba a una pregunta, ni su corte de pelo, ni la tranquila seguridad en sí mismo, como de adulto. Para ellos, Marlon era un tipo que infringía las normas, no sólo las normas en el vestir y no hablar en las reuniones de padres y profesores, sino las normas que establecen que si uno es negro, tranquilote y espabilado, entonces le tiene que ir mal en el colegio. Les preocupaba que Marlon supiera todo sobre la vida en las calles de Londres y que, sin embargo, fuera a la vez capaz de sacar cincos aclamados en serie en inglés, matemáticas y arte. En fin, tenía reputación de ser una mala influencia, alguien capaz de corromper a los niños menores con su sola sonrisa.

Me cae bien, Marlon. Ahora mismo, mientras le lanzo una última mirada a la calle Pierpoint, lo necesito.

Primero, me dirijo en dirección al conjunto de apartamentos en donde vive, pero después se me ocurre que quizá no sea una buena idea. La madre de Marlon se fue de la casa cuando él tenía seis años y, desde que su hermana Carla también se largó, vive solo, con su padre. Sólo he visto al señor Johnson una única vez y no me pareció lo que se puede decir una persona comprensiva.

De manera que espero en la esquina, sentado sobre un muro, en la esperanza de pillar a Marlon camino al colegio.

Faltando cinco minutos para las nueve, lo veo salir del conjunto, meciendo el maletín, empujando a patadas una lata de Coca-Cola. El mismísimo y viejo Marlon.

—¡Oiga, hermano!

Marlon y yo nos chocamos los cinco como si todos los días nos encontráramos en la misma esquina.

—¿Qué más?

Y de pronto, no puedo hablar. Es curioso, pero después de todo lo ocurrido en las últimas doce horas, ver a Marlon caminando por ahí sin ninguna prisa, camino al colegio, tan normal, se me hace un nudo en la garganta. Lloro… más o menos.

—Vamos, vamos, tranquilo, Tigre —me dice, y logro sonreír.

Me observa con detenimiento.

—¿Te metiste en una bronca?

—No.

Me toco la frente y luego me limpio las lágrimas como si no fueran más que polvo en los ojos.

—Necesito tu ayuda, Marlon.

Se sienta sobre el muro como si dispusiera de todo el tiempo del mundo.

—Bueno, cuéntame —dice.

—Llegarás tarde al colegio.

—Correcto.

La puntualidad jamás ha sido uno de sus puntos fuertes. De manera que le doy una versión editada de los acontecimiento ocurridos durante los dos últimos días, restándole importancia a Pringle. Después de todo, ¿a quién diablos le importa un rábano ahora lo que pueda ser de ese loco Carepizza? En fin, intento explicarle a Marlon por qué no puedo ir a casa.

Marlon se ríe, mientras oye mi cuento.

–¿De manera que estás en la calle? –me dice, como si yo hubiera acabado de pasar un examen difícil.

–Sí.

–Excelente –opina–. Ven y desayunamos algo y te cuento qué es lo que vamos a hacer.

–¿Hacer? –le pregunto, caminando juntos a paso largo mientras cruzamos un parque.

–Correcto –dice Marlon, asintiendo con la cabeza–. Te vas a quedar donde mi hermana Carla. Ocupan ilegalmente una casa. Nadie te encontrará allá.

Les aseguro que este tipo un día de estos llegará a ser primer ministro.

Jamás había estado en las proximidades del barrio Brixton, pero con el mapa que me dibujó Marlon, encuentro el lugar de Carla sin problema.

No es lo que esperaba. No se trata de un apartamento en un conjunto ni nada por el estilo. Es una enorme casona llena de recovecos al final de una calle en la que casi todas las otras casas han sido derribadas. Todas las ventanas están selladas con tablas, pero no me cabe duda de que estoy en la dirección correcta, estoy en St. Mark's Road y en la puerta han pintado un enorme número 27 con pintura roja.

No hay timbre, de manera que, nervioso, levanto la vieja y oxidada aldaba y golpeo dos veces.

No responden.

Golpeo de nuevo.

—¿Sí? —pregunta una voz de hombre dentro de la casa.

No parece ser un vecindario en el que reine la confianza, ya que el tipo ni siquiera abre la puerta.

—Busco a Carla —digo.

—Un momento.

Transcurren otro par de minutos para el final de los cuales ya estoy pensando seriamente en volver a pata a la verde seguridad y tranquilidad de la calle Pierpoint.

—¿Quién es? —ahora habla una voz de mujer.

—Nicky Morrison. Me envía Marlon.

Escucho el ruido de lo que pareciera un millón de cadenas, pestillos y seguros antes de que por fin se abra la puerta y veo en el umbral a esta joven mujer negra, descalza y vestida sólo con una larga camiseta.

—Soy Carla —dice.

Extiendo la mano y la recibe con una curiosa sonrisita.

—¿Qué hora es? —pregunta.

–Las diez y cuarto.

–¡Miércoles! –exclama Carla, como si fuera el primer albor de la aurora–. Será mejor que entres.

Cierra la puerta y asegura todos los pestillos.

–Seguridad –le digo, intentado sonreír.

–Sí, cierto–, dice ella.

El vestíbulo de entrada es enorme y oscuro y atestado de objetos, como un par de marcos, un costal lleno de carbón, un aparador en un lado y una motocicleta a medio armar. Apenas si alcanzo a distinguir algunos grafitis pintados en las paredes. Un lugar que a mi madre le parecería la peor de las pesadillas.

Sigo a Carla que sube unas escaleras y entra a una habitación que, a juzgar por las pilas de platos sin lavar por todos lados, supongo que será una especie de cocina.

–¿Café? –pregunta Carla, que ya coloca una tetera con agua sobre una hornilla de gas que enciende con el mismo fósforo con el que luego encenderá un cigarrillo.

No parece el momento indicado para pedirle a cambio un chocolate bien caliente como el que hace mamá.

–Sí, gracias –le digo.

–Entonces… –dice Carla, ahora sentada en la mesa de la cocina y aspirando profundo el cigarrillo–, ¿cuál es la historia?

QUIÉN ES QUIÉN EN EL INQUILINATO ILEGAL DE ST. MARK'S ROAD: Carla.

NOMBRE: Carla Johnson.

EDAD: 15 años (dice tener 16).

SEÑALES PARTICULARES: Pelo corto, ojos realmente hermosos. Delgada.

GUSTOS: Scag, Scag, Scag y Scag.

AVERSIONES: La policía, la carne, los políticos, su papá.

HOBBIES: Ayudarle a Scag en su trabajo y pintar.

EXPRESIONES PREFERIDAS: ¡Um!, Tomárselo con calma, No hay problema, La carne es un crimen, ¿Verdad que sí, Scag?

PUNTOS FUERTES: No hace demasiadas preguntas, lo trata a uno como a un adulto.

PUNTOS DÉBILES: Demasiado enamorada de Scag, para mi gusto.

Mientras nos tomamos el café, le paso la nota que Marlon me dio. La lee, entrecerrando los ojos para protegerlos del humo del cigarrillo que sube desde el plato sobre el que lo ha colocado. De hecho, veo que se trata de una de las mujeres más hermosas que yo haya visto.

–¡Um! –dice, por fin–. De manera que has cambiado un poco desde la última vez que te vi. Eras una criaturita inocente.

Me sacudo de hombros, como si nada, modestia aparte.

–Marlon dice que tienes problemas en casa.

–Mis padres no se están llevando muy bien.

–¿Que qué? –suelta una carcajada de incredulidad.

–Creo que la cosa es grave. Puede terminar en divorcio.

Ahora Carla me observa con más atención.

–¿De manera que huiste de casa, verdad?

Incómodo, recordando algunas de las cosas que Marlon me contó sobre los problemas de su casa, asiento:

–Sé que suena ridículo, pero a mí me importa.

–¿Saben dónde estás?

–Anoche vi a mi padre. Cenaba con su secretaria. Pero no le hablé.

–Papito picarón –dice, sonriendo, hasta que ve mi expresión seria–. De modo que él sabe que has huido y tu mamá probablemente ya sabe lo de la secretaria.

Frunzo el ceño.

–¿Cómo lo sabes?

–Tarde o temprano tendrá que explicarlo todo, ¿no? Cuando la policía le pregunte en dónde te vio por última vez, tendrá que hacerlo. Además, querrán saber por qué habrías huido sin hablar con él.

Pienso un instante en la cosa.

–¿Quieres decir que he complicado aún más las cosas?

–Tal vez no.

Nos quedamos allí sentados, un rato, en silencio. Ya le he dicho a Carla más de lo que pensé contarle en un comienzo.

–No estoy muy segura –dice, más hablando para sí, que conmigo.

–No me quedaré mucho tiempo. Sólo mientras despejo la cabeza.

–La policía te busca. Lo último que queremos es que esos bastardos vengan a tumbar la puerta. Tendré que discutirlo con los otros, cuando se levanten.

Miro mi reloj, preguntándome cuánto tiempo tendré que esperar.

–No te preocupes –dice Carla–. Se acostaron sólo hace una hora. Puedes instalarte en el ático y recuperar sueño atrasado. Hablaré con Scag cuando despierte, por la tarde.

"¿Scag?", me pregunto, "¿qué o quién diablos es Scag?".

Seis

Alta tensión

Mi cuarto es una especie de ático en la punta de la casa. Tiene una ventana con vidrio, cosa extraña aquí, pero por lo demás no es mucho más lo que se pueda decir respecto a otras comodidades del hogar. En una esquina, hay un viejo colchón manchado, sobre el piso, con una cobija encima. En el otro extremo, un montón de ropa vieja que Carla me dice pertenece a una chica que abandonó el lugar un par de semanas atrás.

–¿Qué ocurrió con ella? –pregunto.

Carla se sacude los hombros.

–Encontró otro lugar. O volvió a su casa. Se vio en problemas con la policía, vaya uno a saber.

Ya solo, abro la ventana para que entre aire fresco a la habitación que huele a cigarrillo. Luego, me recuesto en el colchón sin quitarme la ropa e intento poner en orden la cabeza.

De alguna manera, Carla tiene razón. Va a correr la voz de mi huida; quizá ya hayan avisado a la policía. Sonrío al pensar en la reacción de la gente en Holton y me pregunto si, por fin, Pringle recibió su merecido. Al pensar en la cara de Wattsy, endeble y nerviosa, sé que no ocurrirá absolutamente nada. La gente como Pringle siempre se sale con la suya.

Luego, imagino estar de vuelta en casa, o más exactamente, en una versión completamente irreal e idílica de casa en donde papá juega al cricket conmigo, mamá tararea alguna vieja canción mientras arregla un florero en la cocina y Marisa sonríe mientras juego con la perrita Jessie.

–Una semana –me digo en voz baja–. Vuelvo dentro de una semana. Para entonces, habrán entrado en razón.

Debí quedarme dormido en medio de este ataque furioso de clichés, porque la siguiente cosa de la que me entero es de ruidos que vienen de abajo, voces, pasos pesados sobre las tablas desnudas del suelo.

Durante unos primeros segundos, alcanzo a creer que estoy en Holton, pero pronto vuelvo a la realidad. Me siento en el colchón y, por algún raro motivo, recuerdo una de las frases favoritas de mamá:

"Bonito problema en el que me has metido".

Intentando mostrar que soy un tipo al que la vida de inquilinato no le hace mella alguna, bajo las escaleras sin meterme la camisa en la cintura. En la cocina, dos muchachos y una chica están sentados a la mesa comiendo tostadas. Ninguno parece particularmente sorprendido o curioso respecto a mi aparición en la puerta.

–¿Una taza de té? –pregunta la chica que lleva el pelo muy corto y tiene una especie de argolla en la nariz.

Es más bien baja, con unos rasgos suaves y redondos que me recuerdan a Marisa.

–Gracias –digo.

–Las tazas están en el lavaplatos.

Lavo una vieja taza percudida, me siento en la mesa y me sirvo un té. Uno de los tipos, el más alto y moreno de los dos, me lanza una mirada de tanta desesperación que es como si ya hubiera dicho yo alguna estupidez mayor.

Estoy pensando algo así como "Dios mío, un millón de gracias por hacerme sentir bienvenido", cuando la niña del arete en la nariz me pregunta:

–¿Con quién estás?

Dejo pasar unos cuantos segundos antes de contestar, ya que por aquí parece estar de moda la conversación en cámara lenta.

–Carla –digo.

Y, oh sorpresa, por fin me miran los tres.

–Carla está con Scag –dice el moreno, como si yo hubiera acabado de insultar a su amigo.

–Soy amigo del hermano de Carla –explico.

–Algo me dice –el muchacho sorbe el té en tono amenazante–, que a Scag este asuntico no le va a gustar ni cinco.

–¿Tienes dinero? –pregunta la chica.

–Un poco.

–¿Qué tan poco?

Por la manera como me miran, sospecho que se trata de otra pregunta peligrosa.

–Seis libras con noventa peniques –digo.

–¡Qué maravilla! –esto lo dice el otro muchacho.

Igual que la chica, lleva el pelo muy corto pero tiene la contextura de un toro y la cabeza demasiado pequeña para sus anchos y musculosos hombros. Me mira con una hostilidad expresa que me recuerda a Pringle.

–Otro maldito gorrón.

–Danos la plata –dice la chica, extendiendo la mano.

La miro derecho a los ojos, como aprendí a hacerlo en Holton.

–Tenemos que comprar algo de comida –continúa ella, con lento sarcasmo.

–Carla me dijo que luego arreglaríamos eso –le digo.

Con una tranquilidad que a mí mismo me sorprende, me pongo de pie y salgo de la cocina con un 'muchas gracias por el té' y echo escaleras arriba hacia mi dormitorio.

Mientras cruzo un corredor que hay en el primer piso, se abre una puerta. Es Carla.

–¿Ya conociste a la pandilla? –me pregunta, cerrando la puerta de la que sale.

–Más o menos.

–No dejes que te preocupen –dice, mirando hacia abajo–. Son jóvenes.

–Como que ni me enteré de sus nombres.

–La chica es Julie. El tipo alto, John y su amigo, Pete.

Carla vuelve su rostro de nuevo hacia la puerta. Se le ve intranquila.

–Ven, hablemos en tu cuarto. No quisiera despertar a Scag.

Debo dejar ver mi sorpresa porque me dice:

–No suele levantarse antes de que oscurezca.

–¿Qué, una especie de Drácula?

–Sí –dice riéndose Carla–. Pero mucho menos divertido que Drácula.

Una vez en mi dormitorio, Carla me cuenta todo respecto al inquilinato, la gente que allí vive y el reglamento del lugar.

El reglamento oficial es, a saber:

1. No hay ninguna regla porque es precisamente de todo eso de lo que nos queremos alejar.

2. Todo lo compartimos: comprar (o robar) comida, cocinar, lavar.

3. Cualquier persona es bienvenida siempre y cuando uno de los miembros responda por ella.

4. La puerta debe permanecer cerrada con llave a toda hora para protegernos de la policía o el ayuntamiento.

5. La adjudicación de cuartos requiere del acuerdo mutuo entre los miembros.

6. No hay líderes.

Pero aún antes de que Carla haya terminado, me parece evidente que su versión contiene una exagerada dosis de optimismo… está hablando del inquilinato que ella quisiera, no del que existe. Uno o dos días después, habré descubierto la realidad.

Las normas extraoficiales del inquilinato son:

1. Existen tantas normas como las había en Holton, sólo que no las llaman reglas.

2. Las compras las hace quienquiera que tenga algo de dinero. De cocinar se encarga ya sea Carla o Julie, la chica del pelo corto. Hay turnos para lavar: yo, yo, yo y yo.

3. Nadie es bienvenido a menos de que todos los miembros decidan dejarlo entrar.

4. La puerta debe mantenerse cerrada con llave no por la policía ni el ayuntamiento, que más o menos nos dejan en paz, sino para protegerse de otra gente de otros inquilinatos que quisiera ocupar el lugar.

5. Uno agarra el cuarto que pueda y se queda allí hasta que lo sacan.

6. Sólo hay un líder: Scag.

El famoso Scag. Aun antes de conocerlo, este tipo no me gusta nada. Para empezar, tengo problemas con su nombre. Mejor dicho, llamar Scag a un tipo que vive huyendo y a las carreras en un inquilinato... ¿se trata de otro cliché o qué? El resto de los miembros, es decir John, Pete y Julie, parecen tenerle miedo. Pero sobre todo, me molestan los ojitos tiernos y distantes que pone Carla cuando hablamos de él. Sea lo que sea, estoy seguro de que el tal Scag no le conviene a ella.

Considerando que Carla es una persona que se escapó de su propia casa, me parece demasiado preocupada por mi familia. Yo quiero llamar a la mañana siguiente, pero ella insiste en que lo haga hoy para avisarles que me encuentro bien.

–Hazlo por tu mamá –me dice–. Estará muy preocupada.

–Tal vez.

Carla busca algo en el bolsillo de sus *jeans* y saca una llave.

–Es una de repuesto –dice–. Úsala mientras estés aquí. Hay un teléfono público en la esquina.

Ya caminando a lo largo de St. Mark's Road, no estoy, de pronto, tan seguro de qué es lo que voy a decir. Ninguna de las razones que justifican que me haya escapado: Pringle, papá –y su novia– parecen tener sentido ahora, a pesar de que sé que estoy en lo cierto. Al acercarme a la cabina telefónica, me veo rezando por que esté estropeado o que mis padres no estén en casa o el número esté ocupado.

–Hola.

Es papá, pero casi no le reconozco la voz porque usualmente, cuando contesta al teléfono, ladra "Morrison" de manera inmediata, como si fuera el hombre más ocupado del mundo.

–¿Hola? –repite papá.

Se me ocurre que, claro, debe vivir muy ocupado con la cantidad de vidas distintas que lleva: hombre de negocios, padre, amante predilecto de jóvenes secretarias.

–Aló, hola, ¿Nicky, eres tú?

Alcanzo a verlo riéndose, en la calle, frente a su oficina, lanzando una mirada cautelosa por encima del hombro, al tiempo que la secretaria lo agarra de gancho.

–Nicky, escúchame, tenemos que…

Cuelgo. En este momento, no podría hablar con mi padre ni aunque se tratara del último sobreviviente del planeta.

Todavía alcanzo a escuchar su voz cuando entro a casa y subo por las escaleras. De un cuarto frente a la cocina, oigo que salen voces y, todavía pensando en mi familia, entro.

Es una pieza grande. Hace milenios debió haber sido una sala bastante elegante. Ahora hay en ella un par de sillones muy trajinados y un televisor enorme colocado en una esquina. Por el modo como me miran todos cuando entro, no me cuesta ningún trabajo saber cuál era el tema de su conversación.

–¿Qué tal todos en casa? –pregunta Carla, sentada al lado de la ventana.

Hay algo en la obstinada jovialidad de su sonrisa que me pone muy nervioso. Es como si estuviese diciendo: "Me importa un pito qué digan los demás, yo estoy contigo".

–En casa, bien –digo–. Parecen estar… bien.

El muchacho pelinegro, John, levanta los ojos:

–¿Ya tienen a la policía buscándote?

–No.

–Nicky, nos preocupa un poco que la policía pueda venir en tu busca –dice Carla en voz baja–. Es muy importante que nos dejen en paz.

–Correcto.

–Miren –dice la chica que ahora conozco como Julie, dándome la espalda, como si yo no existiera–. Estoy segura de que es un buen chico y lo que quieran, pero no nos digamos mentiras, no es más que un niño bien que tuvo un agarrón con sus papás. Es decir...

"Tranquilo, Tigre", me digo, pero ¿a quién diablos tilda de niño? No se puede decir que ella misma sea una adulta de verdad. La observo con detenimiento, primero a ella y luego a Pete y a John. A pesar de sus imprecaciones y bravuconadas, tampoco son mucho más que apenas unos chicos... quince, dieciséis años cuanto más.

–Se queda –dice una voz nueva, con mucha autoridad.

Veo, en la oscuridad creciente, que junto a Carla hay otra persona, su cuerpo apenas visible en la penumbra, hasta tal punto que casi parece que la voz proviniera de un par de piernas embutidas en unos *jeans* de marca y unos tenis costosos. Scag, como descubriré más adelante, jamás se ubica en el centro de los asuntos, siempre se hace en la periferia, como para poderse escabullir sin ser visto en el momento que así lo desea. Se pone de pie:

–Por el momento, el tipo se queda –dice y se larga.

QUIÉN ES QUIÉN EN EL INQUILINATO DE ST MARK'S ROAD: *Scag.*

NOMBRE: Scag.

NOMBRE COMPLETO: No lo van a creer.

EDAD: 17.

ASPECTO: Mide más o menos uno con ochenta, pelo oscuro más o menos largo, que a veces le cae sobre la frente y le cubre el ojo derecho un poco al estilo del galán malhumorado y supersexy, ojos castaños de hombre duro, ancho de hombros, un arete y una cruz grande de madera colgada del cuello. Algunas veces, sin afeitar.

GUSTOS: Infringir todas las reglas.

AVERSIONES: El mundo, excepto Carla.

HOBBIES: Descubrir nuevos métodos para obtener algo gratis.

EXPRESIONES PREFERIDAS: "Sí", "No". Scag es un tipo de pocas palabras.

PUNTOS FUERTES: Fuerte, un líder nato.

PUNTOS DÉBILES: Ídem (no confío en los líderes).

–Sólo tiene seis libras con noventa peniques –murmura Pete, anteponiendo, claro, media docena de obscenidades.

–Ya verá como pagar, ¿verdad, Nick? –dice Scag, con una especie de sonrisita que, a pesar de todas mis reservas (empezando por su nombre), hace que yo me sienta como diez centímetros más alto de lo que soy.

Me pregunto cómo diablos voy a pagar. Será ponerme a repartir periódicos o quizá lavarles el auto a los vecinos.

—Sí, claro —le contesto—. ¿Cuándo empiezo?

Scag echa un vistazo a través de la ventana a la noche que ya parece cerrada.

—Esta noche —dice.

—¿Qué debo hacer?

Pete deja ver una sonrisita maligna.

—Ya lo sabrás.

—Ve y duermes un rato —dice Carla.

El día laboral de Scag comienza a la una de la madrugada.

—Vamos —dice, de pie en el umbral de mi puerta, como si él, Scag, y yo, saliéramos todas las noches a hacer plata en turbios negocios.

Como en un trance onírico, me levanto de la cama, me pongo mis *jeans* y camisa blanca, mis tenis y lo sigo escaleras abajo hasta la puerta principal, cruzamos la calle y nos metemos por un callejón.

Lo veo cambiado. En el inquilinato, era un tipo relajado, casi se diría que con buen humor. Ahora todo lo que hace lo hace con una sucinta rapidez profesional.

Casi lo abordo con una pregunta, pero me basta una mirada a su pálido y vigilante rostro para comprender que no es el momento indicado para conversación alguna. Es una noche tibia de otoño y, a la luz de las luces de neón, caminamos con rapidez una media hora.

Me doy cuenta de que hemos llegado a Wandsworth y noto que Scag observa con tranquilidad los autos estacionados al borde de la avenida. Luego me conduce por una calle menor hasta llegar a una especie de taller-garaje. Atrás hay un patio protegido por una alta cerca de alambre en donde alcanzo a ver unos seis autos. Scag se detiene. Con un rápido gesto de la cabeza, me dice:

–Sube.

Trago saliva. La cerca tiene por lo menos cuatro metros de altura y en la parte superior una corona en espiral de alambre de púa. En cine he visto campos de concentración más acogedores que esto.

–A medio camino hay un hueco –dice Scag–. Entra por ahí y corre los pestillos desde adentro.

¡Hueco! Era una condenada rendija por donde apenas si cabía un ratón, como a tres metros de altura. Las tripas se me remueven tan pronto empiezo a trepar el alambrado.

No existe nada que nos motive más que el miedo. Trepo con rapidez, asiéndome de algunos pedazos de alambre flojo y logro pasar como una lombriz por el orificio. En un momento dado, me veo de medio cuerpo al otro lado, patas arriba, el suelo abajo. Luego, tras escuchar que algo se rasga (después sabré que fueron mi camisa y mi espalda), me descuelgo hasta caer en tierra.

Scag asiente desde el otro lado de la reja como si cualquier desconocido de catorce años pudiera hacer la prueba.

—Los pestillos —dijo—, córrelos sin hacer ruido.

Mientras le abro el portón a Scag, observo los autos: negros, nuevos, todos BMW y todos convertibles.

—Toma asiento —dice Scag, y por un instante pienso que bromea.

Pero entonces se inclina para sacar un alambre largo del bolsillo, se acurruca al lado de uno de los automóviles y lo introduce por el seguro de la puerta. Veinte segundos después, está abierto y Scag, dentro, corta algo debajo del árbol de dirección.

—Un *bypass* a la gasolina —dice, como hablando para sí—, y luego… al cable del encendido.

Agarra dos cables, toca un tercero y el motor ronronea.

—Portón —dice Scag, mirándome.

Muerto del pánico, corro a la puerta y la abro. Lenta y silenciosamente, Scag conduce el BMW hasta llegar a mi altura. Con la cabeza, señala el puesto del pasajero.

—¿Te puedo acercar a algún lado? —dice, con su extraña semisonrisa.

Me subo, el auto se desliza primero al callejón y luego a la avenida.

Los imbéciles, esos tipos que se roban autos sólo por el gusto de hacerlo y no por el dinero, se enloquecen detrás del timón; Scag no. Bien podíamos ser una familia decente saliendo de paseo por el campo un domingo por la tarde... así de tranquilo va Scag. Excepto que son las tres de la mañana y estamos en Brixton. Mi corazón ha vuelto a su ritmo normal. Me siento eufórico, triunfante.

–Nada mal –opina Scag, al tiempo que enciende la radio–. Para nada mal.

Quizá se refiere al auto, pero no importa, igual lo interpreto como un cumplido y sonrío, satisfecho.

Conducimos durante treinta, quizá cuarenta minutos. De vez en cuando, detenidos frente a algún semáforo, veo unos pocos conductores que observan, primero el auto y luego a Scag. Y lo más curioso es que resulta muy convincente en su papel: tiene el gesto, los modos de quien nació para conducir un BMW convertible, no porque sus padres se lo hayan regalado, sino porque trabaja en algo chic pero difícil, como inventarse juegos de computadores o administrar un almacén de moda.

Ahora nos encontramos en las afueras de Londres, en un barrio bueno, al sur del río.

–Hemos llegado –dice, acercándose a la acera sobre la que descansa una hilera de casas–. Ven conmigo –dice, al tiempo que desciende del auto, que deja encendido, y se acerca a una de las casas donde toca el timbre tres veces.

Abre la puerta un señor de unos cincuenta años, grande, pelo un poco canoso y una boca de pocas sonrisas.

—Se tomó su tiempo —dice el señor.

Por toda respuesta, Scag extiende la palma de la mano abierta.

El hombre busca algo en su bolsillo trasero y saca un sobre que le entrega a Scag.

—Necesitamos transporte —dice Scag.

—Llamen un taxi.

Scag le lanza una mirada caliente, lenta, de esas que hacen que algunas personas cambien de opinión.

—Transporte —repite.

Maldiciendo, el hombre entra de nuevo a la casa y sale acompañado de un personaje delgado, medio calvo, de unos treinta años.

—¿Paseo escolar? —dice el hombre delgado, pasando por el medio de Scag y yo con un empujón.

Lo seguimos a nuestro debido paso y, mientras el señor canoso se lleva el BMW, Scag me abre la puerta de un Jaguar verde oscuro. Al subirme, me hace un guiño.

—A casa, James —dice Scag, en voz no muy baja.

El chofer nos suelta un par de insultos y estamos en camino.

De vuelta en el inquilinato ilegal, Carla nos cocina la menos saludable y más gigantesca de las fritangas que uno pueda imaginar. Como si nos hubiéramos puesto de acuerdo, para comenzar no mencionamos el trabajito, sino que comemos con la muda satisfacción de unos obreros al final de su jornada laboral.

–¿Y bien? –pregunta Carla, mientras enciende un cigarrillo y nos observa comer–. ¿Qué tal lo hizo?

–Talento innato –dice Scag, que mete un par de rebanadas de tocineta entre dos pedazos de pan–. Como si lo hubiera hecho toda la vida.

Respondo, encogiéndome de hombros como diciendo: "Vamos, vamos, no es para tanto, chicos", y ambos se ríen.

–¡Quién lo creyera! –dice Carla–. Nick, ladrón de autos.

Curioso, pero me gusta que me llamen Nick. Siempre pensé que prefería Nicolás o Nicky, pero de algún modo, ahora me cuadra.

Me duele la espalda, el lugar donde me arañé con el alambre y se rompió mi camisa, pero no quiero dañarlo todo, comentándolo. Supongo que un par de moretones y rasguños son gajes del oficio.

Después de comer, Scag cuenta el dinero en el sobre que le diera el cincuentón. Debe haber unos cuantos cientos de libras. Saca un billete de veinte y me lo da.

–Esto pondrá contentos a los otros –dice.

–Vale.

Guardo el billete. Es el primer dinero que me gano en la vida y me parece extraño.

–¿Y qué hacen? –pregunto–. Los otros.

–Robitos, aquí y allá –dice Scag–. Lo normal.

–¿Autos, como nosotros?

–No preguntes, Nick– dice Carla–. Preferirías no haber sabido.

–Ellos saben lo que yo hago– me atrevo a decir, más tranquilo, más seguro ahora–; no quisiera que Pete, John y Julie me lleven ventaja.

–Pete roba casas –dice Scag, metiéndose el fruto de su trabajo en el bolsillo trasero del *jean*–. John vende drogas. Y Julie es una prostituta.

–Correcto –digo.

Dios mío, sí, claro, maravilloso: ladrón, traficante, prostituta… excelente me parece.

–¿No son muy jóvenes para eso? –pregunto.

Carla deja ver una sonrisa triste que en verdad me gusta.

–Sólo jóvenes en años –me dice.

Deben ser cerca de las cinco de la mañana cuando Pete entra, resintiéndose cuando ve los platos vacíos.

–¿Cómo les fue? –pregunta, en realidad dirigiéndose a nadie en particular.

Como ni Scag ni Carla contestan, yo digo:

–Bien.

–Bienvenido a la fraternidad de cacos. ¿Cuándo lo harás solito, sin que te lleven de la mano?

Por primera vez desde que Pete entró, Scag le lanza una mirada gélida.

–Lo digo en broma –dice Pete–. ¿Qué pasó con tu sentido del humor?

Scag aspira profundo su cigarrillo y no dice más nada.

Siete

La vida en el frente

Al día siguiente, me despierta temprano, quiero decir, como al mediodía, la herida en la espalda, entre los omoplatos. Me duele y me arde y veo manchas de sangre en las sábanas grises sobre las que duermo.

Me miro la espalda en el espejo. Es mucho peor de lo que pensé: el tajo se extiende casi cuarenta centímetros hombro derecho abajo, está inflamado y de un rojo encendido.

Intentando no pensar en el dolor, me siento en la mesa que hay en mi cuarto, le doy vuelta al papel en el que la señora Dover escribió su nota en la enfermería y lo coloco frente a mí. Para comenzar, la idea era escribirle a mamá, pero entonces descubro que a ella no puedo decirle por escrito lo que le quiero decir, de manera que escribo:

Querida Marisa:

Estoy bien. Estoy en un lugar seguro y me cuido bien, pero necesito resolver un par de cosas. Papá sabrá de qué hablo. Por favor, pídeles a ambos que no involucren a la policía. Esto es un asunto privado, íntimo. La próxima vez que llame por teléfono hablaré sólo contigo, me niego a hablar con nadie más. Si fuera posible, en algún momento me gustaría recoger a Jessie, pero no lo haré si la utilizan como señuelo para que vuelva a casa. Ya veré cuándo hacerlo. Espero no estar ocasionando demasiados problemas. Un beso a mamá.

Nick.

De acuerdo. Sé que esta carta contiene un par de sorpresas, como, ¿por qué dirigirla a Marisa? Y todo este asunto con mi perrita, ¿acaso se trata de otro ataque de clichés o qué?

Jamás pensé que un día llegara a decir lo siguiente, pero igual lo voy a decir: las hermanas pueden servir para algo. Estoy seguro de que Marisa lo entenderá todo, a su manera. Conservará la calma.

En cuanto a la perrita Jessie, sólo quería verla ¿bien? Quizá se me convirtió en un pedazo del hogar o tal vez se me antojó que la tienen abandonada en medio de tanto alboroto. A Jessie, se me ocurre, le encantaría este lugar.

Como a las tres de la tarde, oigo salir a Scag, de modo que me pongo mi camisa rasgada, bajo las escaleras y golpeo en el cuarto de Carla.

–¿Sí?

Está sentada en un taburete, dándole la espalda a la puerta y frente a un caballete. En su mano, un pincel negro. El cuadro que empieza a formarse le está quedando francamente bien.

–Magnífico –le digo, observando por encima de su hombro.

–Sí, sí –replica.

Tiene puesta una de esas enormes camisas de dormir, unos jeans rotos y está descalza. Se ve lo más bien.

–No sabía que pintabas.

–Los vendo los sábados en Covent Garden –me dice–. Es un poco tímido comparado con lo que otros pintan, pero me gusta.

Ve la carta para Marisa en mi mano.

–Sobre y estampilla, ¿verdad?

Me encanta la manera como Carla siempre va un paso adelante:

–Sí, gracias.

Abre el cajón de una mesa de noche al lado de la cama que, no puedo evitar verla, está en tal estado de desorden que es como si le hubiera caído una bomba encima. Sonríe y me dice:

–Una noche agitada.

No quiero que me vea sonrojar, de manera que me doy vuelta para ir a mirar su cuadro. Entonces, de súbito, me dice:

–Tu espalda, ¿Nick, por qué no me lo dijiste?

–No es nada – digo con mi tono más trágico.

Con cuidado, levanta el faldón de mi camisa.

–Siéntate –dice, señalándome el taburete donde antes ella pintaba–. Quítatela.

Me encanta cuando las mujeres asumen el control así. Mientras me desabotono la camisa, miro por encima del hombro y veo a Carla sacando un poco de algodón y un frasco pequeño de un armario en la esquina, como si esto de las emergencias médicas fuera para ella cosa de todos los días. Estampillas allí, desinfectante allá, que inquilina tan bien establecida.

–Eres muy ordenada –digo.

–Alguien tiene que hacerlo –contesta y se sienta al borde de la cama–. Acerca el taburete aquí.

Colocando una fresca mano oscura en mi hombro, con un poco de algodón, le echa desinfectante a la herida. Duele, pero de modo agradable, tranquilizador, como cuando me caía de la bicicleta de niño y mamá me curaba las rodillas.

–¡Aaay!

Arqueo la espalda al sentir el ardor del desinfectante. Sin poder evitarlo, me río con el dolor. Carla también.

–Estate quieto –dice–. Eres una gallina, Nick.

–Agonizo del dolor –le digo.

–Florence Nightingale en acción otra vez.

Es Scag, que aparece en la puerta, observándonos. Sonríe, pero esconde una tensión que no estaba allí anoche.

–Nick se cortó… –dice Carla.

–Con las rejas –digo yo.

Scag se acerca para observar mi espalda.

–Sobrevivirás –dice.

–Seguro.

Entonces, me siento raro y extraño en esta habitación. Veo que Carla ha quitado su mano de mi hombro. Después de un rato, se pone de pie y dice:

–Bueno, estás listo.

Alcanza mi camisa y agrega:

–Esto está realmente acabado –dice, sólo que en vez de acabado utiliza una palabra mayor; he notado que, en presencia de Scag, Carla intenta ser más dura de lo que en verdad es.

–Tendré que remendarla –le digo–. Es la única que tengo.

Carla abre un cajón y me alcanza una camiseta negra.

—Somos casi de la misma talla —dice—. Me la devuelves cuando puedas.

Vuelvo a mi habitación y me pongo la camiseta. Huele vagamente a Carla, cosa que, de hecho, no me molesta ni cinco.

Una semana pasa como si hubiera sido un día. Pronto, me he ajustado al ritmo del inquilinato: acostarse cuando la demás gente sale a trabajar, levantarse después de almorzar y comer cuando a uno le dé la gana. Todas las noches, salgo a trabajar con Scag.

A medida que lo conozco mejor, descubro que algo lo inquieta. Sólo parece verdaderamente feliz cuando está haciendo uno de sus trabajos, ya sea buscando autos posibles o garajes factibles o realizando el acto mismo. Después de tres o cuatro noches, empiezo a perder entusiasmo por el asunto. Suelo prestar guardia o trepar cercas. Scag me enseña cómo encender un auto sin llaves. A pesar de que ahora somos una especie de colegas, no me fío de él. De vez en cuando, lo veo lanzarme unas miradas que más que amigables son de cautela, miradas vigilantes como si sólo fuera una cuestión de tiempo antes de que yo haga algo mal.

En los momentos más insospechados, se me vienen recuerdos de casa. Puedo estar de pie en las sombras de una calle y de pronto veo a mamá en la cocina o me pregunto si papá seguirá saliendo con su secretaria. Luego, me alejo de tales pensamientos.

El fugitivo

Lo que más me gusta de mi nueva vida es que no tengo tiempo para pensar en el futuro.

Me doy cuenta, también, de que Scag ha dejado de pagarme. Cada vez que entregamos un automóvil en aquella dirección en el sur de Londres, él recibe un sobre que se revienta de billetes, pero ahora Scag se queda con todo. No me importa... después de todo, no estoy en esto por la plata.

Aún así, él o Carla deben pagar algo por mi comida, porque los otros no me han vuelto a decir nada.

Mis relaciones con Julie, Pete y John no mejoran. Julie, en particular, me trata como si fuera un bicho raro.

Al comienzo, sus cambios de humor me sorprenden. Algunas noches está animada y feliz, soltando carcajadas prácticamente de todo y la siguiente está pálida, ojerosa y en tal estado de depresión, que le cuesta trabajo hablar.

Quizá se deba a su trabajo. Quizá a las pastillas que toma. No quiero saberlo.

Curiosamente, sin embargo, es Julie la que primero se da cuenta de mi cambio, después de que llamé a casa y hablé con Marisa.

Es viernes por la tarde. Salgo de casa, camino hasta la cabina telefónica en la esquina.

Dos veces contesta papá. Cuelgo sin decir palabra. A la tercera vez, captan el mensaje: contesta Marisa.

—Hola —le digo—. Soy yo.

109

–¿Dónde estás, Nicky?

Mi hermana suena asustada de verdad.

–Ahí, dándole. Estoy bien.

–Mira –me dice Marisa–. No sé cuál sea el rollo, pero lo que sí sé es que tienes que volver. Estamos muy preocupados por ti. Papá no ha ido a trabajar en toda la semana.

Me dan ganas de decir algo como, "a mí qué me importa", pero no logro decir nada.

–Si el problema es el colegio, Nicky –prosigue mi hermana–, no tienes más que volver y hablar sobre el asunto. Nos tienes muy, muy preocupados.

–¿Llamaron a la policía?

Se hace un silencio y alcanzo a escuchar voces al fondo.

–Claro que sí, teníamos que hacerlo. Mira, mamá quiere saber si estás comiendo bien. Está aquí, en el caso de que quieras…

Cuelgo lentamente el teléfono. No soy tonto. He visto películas. Una llamada telefónica se puede rastrear si es lo suficientemente larga.

Algo extraño ocurre cuando vuelvo a la casa ocupada: Julie está lavando los platos. Es como si Scag estuviera cortando el césped o Pete recogiera dinero puerta a puerta para beneficio de la parroquia del barrio. Inusual, por decir lo menos.

–Hola, pequeño socio –me dice al verme llegar.

En circunstancias normales, no hubiera contestado a este apelativo que ahora me da –por curioso que parezca, no me halaga para nada ser el objeto de la condescendencia de una prostituta de quince años– pero estoy bajo de defensas.

–Hola –contesto–. ¿Puedo ayudar?

–Claro que sí, pequeño socio.

Veo un viejo y sucio limpión sobre la mesa. Lo recojo y empiezo a secar platos. Recuerdo la cocina de mi casa, con mamá o Marisa.

Julie tararea algo. Algo tan horrible que, a pesar de mi depre, sonrío.

–Bonita canción –le digo.

–Salud –dice Julie, mirándome de refilón–. De manera que ¿cuándo piensas marcharte, socio?

–No sé. Cuando haya resuelto mis problemas.

Ella sigue cantando.

–Si yo fuera tú, lo haría más temprano que tarde.

–¿Ah, sí? –como para decirle, "gracias por tu consejo, Julie".

–Tus papás estarán preocupados.

Hay una cosa que puedo decir a ciencia cierta y es que a Julie le importamos, literalmente, un bledo yo o mi familia.

–Están bien –le digo–. Sólo hablé con mi hermana. Todo bajo control.

–Mira, escucha –me dice, cerciorándose de que no haya nadie más en el recinto–. Tú no conoces a Scag como lo conozco yo. Cuando uno recién lo conoce, siempre juega a míster todo preocupación, míster generosidad. Pero luego cambia. Es un enemigo peligroso, pequeño socio. Sonríe, pero es peligroso.

–Yo me sé cuidar.

–La única cosa que le importa en la vida es Carla. Es ella la que lo ha protegido de que haga algo verdaderamente estúpido. Él la adora, ¿bien?

Me mira con sus hostiles ojos gris-pizarra.

Alzo los hombros.

–¿Y eso qué tiene que ver conmigo?

–¿Jugando al niño inocente, pequeño socio? –pregunta y vuelve sobre un tazón que lava–. No digas que no te lo advertí.

En ese momento, lo juro, no tenía mi malicia de qué era lo que Julie estaba hablando. Simplemente, imaginé que la advertencia no se debía a otra cosa que a uno de sus estados de humor.

–Entre otras, ¿dónde está Scag ahora? –pregunto.

–En la cama, con Carla –responde y suelta una risita fría–. ¿Dónde más?

El hecho es que el consejo de Julie resulta bueno. Aunque es muy probable que tenga sus propias razones egoístas para sacarme del inquilinato, aun así, el instinto que le advierte sobre futuros problemas, está en lo cierto.

No que entonces yo lo viera así. Pensaba que me quedaría un par de días más y volvería a casa tan pronto tuviera las cosas claras. Me imagino la siguiente gran escena, hombre a hombre, con papá, quizá después de que mamá y Marisa se hayan acostado:

YO: Mira, papá, sabes muy bien por qué hice lo que hice. No le diré nada a mamá si tú asumes tus responsabilidades con la familia.

PAPÁ: No creí que te afectara tanto, Nicky.

YO: Nick. De ahora en adelante me llamo Nick.

PAPÁ: Perdona, Nick.

YO: De modo que es un trato. Tu pasas más tiempo con mamá y yo prometo jamás volver a escaparme.

PAPÁ: Sí, Nick. De acuerdo. Ahora, sobre el colegio…

YO (Lanzándole una miradita fulminante, a lo Scag): ¿Qué pasa con el colegio?

PAPÁ (nervioso): Eh… nada. Sólo dime qué es lo que tú quieres hacer.

Una ensoñación patética, claro. Dos, tres días después de mi huida, hubiera podido enfrentar a papá, pero ya las cosas han ido demasiado lejos… o por lo menos así sería DESPUÉS DE los hechos ocurridos aquel fin de semana.

Carla se ha percatado de que, tras mi llamada a casa, ando más silencioso que de costumbre. Ese viernes por la noche, Scag sale porque tiene una cita con alguien, los otros tres están trabajando, de manera que Carla y yo estamos solos, viendo una película por televisión.

Excepto que yo no me concentro en la película, porque estoy pensando en casa y en lo distinta que sonó Marisa por el teléfono.

De pronto, me veo diciendo, a propósito de nada y de la manera más natural del mundo:

–Creo que mañana voy a ir por mi perrita.

–¿En serio? –dice Carla, al parecer, contenta.

A ella le gustan los animales y yo le he hablado de Jessie.

–¿Les importará a los otros?

–No, si arreglas con Scag –dice Carla–. Hablaré con él esta noche, cuando regrese.

–Un hombrecito hogareño en el fondo de su corazón –me dice, sonriendo–. Los extrañas a todos.

Me encojo de hombros.

–Sólo quiero a mi perra –le digo–. Esperaré a que mi hermana la saque a caminar y entonces le explicaré que necesito a Jessie y que volveré a casa en un par de días.

–¿Tu hermana aceptará esas condiciones?

Carla ya no está mirando la televisión.

–No tendrá más remedio.

–Voy contigo –me dice–. Quizá a tu hermana la estén siguiendo. La policía es buena para esas cosas.

–Gracias –digo.

Entonces, me lanza una mirada curiosa que en ese momento no entendí.

–Será un placer –dice.

A la mañana siguiente, Carla golpea a mi cuarto para despertarme. Son las nueve y media. Primera vez que estamos levantados antes de la hora de almuerzo en toda la semana.

Nuestro plan es el siguiente:

1. Esperaremos a Marisa desde uno de los extremos del parque Masson. Ella jamás saca a Jessie antes de las diez de la mañana los sábados.

2. Yo se la señalo a Carla cuando la vea.

3. Carla examinará los costados del parque para ver si están siguiendo a Marisa.

4. Entonces, me acerco a Marisa y le digo que necesitamos a Jessie.

5. Salimos disparados de allí.

Sospecho que al ver el parque, voy a echar de menos a mi familia, pero lo que en efecto ocurre es que estoy tan absorto en la conversación con Carla que apenas si noto nada. Ahora que estamos lejos del inquilinato, la siento más relajada.

Sentados, bajo un árbol, hablamos de esto y aquello durante unos diez o quince minutos: su casa, Marlon, cómo conoció a Scag.

Ella fuma y yo masco chicle. Estoy sintiéndome tan bien que casi deseo que Marisa y Jessie se tomen su tiempo antes de entrar en escena.

–De modo que fue así como terminaste ocupando un inquilinato –le digo.

–Sí, y yo de madre supervisora o de chica del gángster. Es increíble, la verdad.

–Si no fuera por Scag, no estarías allí, ¿verdad?

–No lo sé. Lo dudo.

La siguiente pregunta no sé de dónde salió, cómo se me metió en la cabeza:

–¿Estás… –vacilo–, estás, cómo decirlo, muy enamorada de él?

–¿Muy? –se ríe–. No, no creo que muy.

Algo en sus gestos me sugiere que no sería muy buena idea seguir adelante con este tema. La veo observar el parque.

–Me temo que lo de tu perrita tendrá que esperar –me dice en voz baja.

Busco en la dirección de su mirada. Cerca a un lugar destinado para adiestrar a los perros, está sentado sobre una banca un tipo joven, de bigote, leyendo un periódico.

–Un tira –dice Carla.

−¿Cómo sabes que es policía? −le pregunto, pero mientras termino, veo al tipo mirando por encima del periódico en nuestra dirección.

−Ven, rápido −dice Carla, alcanzándome la mano−. Nos ha visto.

De pronto, estoy caminando agarrado de la mano de Carla a través del parque.

−¿Buena idea, verdad? −dijo−. Alguien que huye no anda por ahí tan tranquilo con su novia.

−Seguro −digo con timidez−. Tienes razón, corazón.

Carla se ríe.

Echo una miradita por encima del hombro de Carla y veo que el hombre ha vuelto sobre su periódico. Salimos del parque, pero sigo de la mano de Carla. Doblamos una esquina y ella se detiene, como quien ha olvidado algo.

−Eso fue en honor al tipo ese −dice, y se acerca−. Esto es para ti.

Y antes de que pueda decir nada, me está besando: no una de esas chupalinas a−que−te−como−vivo que muestran en las películas, pero tampoco un besito de hermanita: es en los labios, inclinada sobre mí de manera que, puede decirse, trasciende la mera amistad. En ese momento, he olvidado todo respecto a mi casa, al colegio y a Scag. Soy feliz.

Entonces, justo cuando me pregunto si no debería estar haciendo algo con mis manos, se aleja y la emprende calle abajo al tiempo que me dice:

–Lástima lo de la perrita, ¿verdad?

–Sí –le digo, siguiéndola, mi corazón a mil.

Poco después, estamos saliendo de la estación de metro de Brixton, tras un viaje que transcurre en casi absoluto silencio hasta que me dice:

–No debí hacerlo, Nick.

Me alzo de hombros, como a quien ni le va ni le viene.

–Fue bonito.

–No me vayas a malinterpretar –dice, ahora caminando rápido–. Estoy con Scag, ¿verdad?

–Sólo buenos amigos –le digo, al encontrar el cliché apropiado, a lo Marisa.

Pero ella parece no escuchar.

Ocho

La rumba

Algunas veces pienso que soy uno de esos tipos que le caen mal a la gente casi sin proponérserlo.

Como en casa, por ejemplo, donde llego a irritar hasta tal punto a mi papá, que me envía a Holton.

O en Holton, donde Pringle resuelve que entre todos los primíparos en Wolfe, yo soy el que necesita que le rompan la jeta.

Una vez fugitivo, lo primero que hago es descubrir algo así como el gran secreto en la vida de mi padre.

Y como por milagro, la persona encargada del inquilinato ilegal donde termino, me deja trabajar con él. ¿Y qué ocurre? Que me enrollo con su chica.

Sin embargo, el hecho es que, todavía a estas alturas, no tengo ni idea de que la situación con Carla está pasando de castaño a oscuro. Somos amigos. Charlamos. Nos llevamos bien. ¿Acaso eso me convierte en una especie de rival afectivo nada menos que de Scag entre todos los seres del mundo? Ridículo.

Está bien, quizá no sea tan ridículo. Cierto que Carla me gusta mucho, que algo se me retuerce por dentro cuando la veo junto a Scag, ella mirándolo a él, entre el miedo y la admiración. Y, si quieren saberlo, no me gustan para nada los ruidos que provienen del cuarto de ellos por las tardes y las noches. La primera vez que los escuché, creí que peleaban, pero ahora sé lo que ocurre. Es que alcanzo a imaginarme a Julie con su sonrisita de sabelotodo diciendo: "Está en la cama, con Carla. ¿Dónde más?".

¿Será que a Carla en verdad le gusta Scag o sólo se lo aguanta? Para bailar se necesitan dos, como podría decir mi hermana.

Ahora bien, si sólo fuera un asunto entre Carla y yo, una suerte de amistad que empieza a convertirse en otra cosa, vaya y venga, no me preocuparía: ella no va a dejar a Scag y en cuanto a mí, pues yo tengo un par de problemitas más que resolver. Pero es que, a juzgar por la advertencia de Julie y la frialdad de Scag hacia mí, todo parece ser un secreto a voces.

Incluso antes de aquel sábado, ya he recibido unas señales de alarma.

Cuando llegamos de nuestra salida, Scag, Julie, Pete, John y su nueva novia, Daniela, están en la sala.

–¿Y la perra? –pregunta Julie.

–El lugar estaba infestado de policías –dice Carla–. Nos largamos.

–Ajá. –dice Julie, mientras bebe algo de una taza–. Creí que íbamos a tener una mascota.

En ese instante, me alegro de no haber traído a Jessie aquí.

–¿Los vieron? –pregunta Scag, que no se ha afeitado y tiene puesta una camisa rota.

No me atrevo a mirarlo a los ojos.

–Claro que no –dice Carla–. Ya te lo dije, no nos quedamos allí.

–Esta noche tenemos rumba –dice Julie, observándome–. ¿Te apetece, Nick?

–Sí –le respondo–. Excelente. ¿A qué hora empieza?

Julie sonríe:

–Cuando sea –dice–. Tarde.

–Necesitamos más trago –opina Pete–. Voy a conseguirlo con John. ¿Te apuntas, Nick?

La cosa me toma por sorpresa. Jamás he salido con Pete ni con John y no estoy muy seguro de que quiera empezar a hacerlo ahora.

–Si quieren –les digo, con el menor entusiasmo de que soy capaz.

–Es una rumba –dice Pete–. Todos tenemos que aportar algo, ya sea con plata o con un trabajito. ¿Tienes plata?

Miro a Scag. Él sabe muy bien que el trabajo que he realizado esta semana sería suficiente para comprar varias botellas, si sólo me pagara.

Pero se encoge de hombros. Muchas gracias, Scag.

A eso de las ocho, John golpea a mi puerta. Lleva puesta una camiseta negra, *jeans* y, por primera vez desde que lo conozco, parece haberse lavado su oscura cabellera.

–¿En dónde compramos el trago? –le pregunto.

–Ya verás –contesta John, bebiendo de una lata de cerveza en la cocina.

Pete espera en el corredor.

–Listos para salir –dice, sonriendo.

Hay algo en el ambiente que no me gusta nada. Nadie me mira a los ojos. Estamos de fiesta, ¿no?

Al bajar las escaleras, en pos de Pete y John, Carla me hace una seña desde su habitación. Parece nerviosa.

–Buena suerte, Nick –dice en voz alta, pero agrega entre dientes–: cuídate, traman algo.

Quiero hacerle un par de preguntas, pero ya se ha ido al fondo de su cuarto.

Abajo, frente a la puerta principal, Pete está en el asiento del conductor de su viejo Cortina y tiene el motor encendido. John se instala en el puesto del pasajero. "¿Y yo qué?", me pregunto, "¿me voy atrás, supongo?". Pero como nadie parece estar en tónica conversacional, resuelvo evitarme el sarcasmo y me subo sin decir palabra.

Conducimos unos diez, quince minutos antes de llegar a una calle comercial donde todavía hay varias tiendas y almacenes abiertos, sus avisos de neón iluminando la oscuridad.

—Creo que me perdí —le dice Pete a John.

¿Pete, perdido? Me extraña.

—¡Qué, lío! —dice John, pésimo actor.

Estacionan el automóvil frente a una enorme tienda de vinos y licores. Muy como si nada, John se da vuelta y me dice:

—Estamos buscando un lugar sobre Half Moon Lane. Pregúntate al tipo que atiende que si sabe donde queda, ¿de acuerdo, Nick?

Con la cabeza señala hacia la licorería donde un tipo oriental, como de cuarenta años, está de pie, al lado de la caja registradora.

—Ahora, si no sabe —agrega Pete—, pregúntale cómo llegar hasta Piccadilly. En otras palabras, no pares de hacerle preguntas.

—Pete y yo vamos a comprar otro par de cosas —dice John—. Si nos ves entrar más tarde, no hables con nosotros.

De manera que salgo del auto y entro a la tienda. El tipo de aspecto oriental tiene la mirada cansada, la de alguien que se ha pasado la vida trabajando.

–No se venden bebidas alcohólicas a menores de dieciocho años –me dice cuando me acerco a la caja.

–Estoy buscando un lugar en Half Moon Lane. ¿Podría decirme cómo llegar allí?

Mi voz y mis gestos guardan la más literal de las inocencias. Aún después de casi diez días huyendo, sigo pareciendo un tipo en el que se puede confiar.

–Half Moon Lane –dice–. Bien, eso queda cerca de Streatham, creo.

Saca de debajo de la caja registradora un directorio de mapas con las calles de la ciudad y empieza a pasar páginas.

–Aquí está –murmura–. Pero no es muy cerca. Es un poco complicado llegar. ¿Lo van a llevar sus padres?

–Sí –le digo–. Mi papá.

Estamos ambos mirando el mapa de calles cuando entran John y Pete. Levanto los ojos pero, al recordar mis instrucciones, vuelvo sobre el mapa.

–¿A la izquierda al final de la avenida? –pregunto.

Se oye el ruido de cristal de las botellas a nuestra espalda y, con el rabo del ojo, veo que John y Pete están llenando dos canastas con vinos y licores. De pronto, entiendo todo lo que va a ocurrir pero soy incapaz de actuar.

Como si hubiera presentido mi cambio de ánimo, el tendero levanta la mirada justo en el instante en el que el par de tipos abren la puerta y, canastas al pecho, corren hacia el auto.

–¡Oigan!

Con una velocidad y agilidad que me sorprenden, el oriental salta de la caja registradora y corre a la calle pero Pete debió haber dejado el motor encendido porque, con un chirrido de llantas, ya están lejos y en camino.

Muchas gracias, señores.

No salgo de mi aturdimiento cuando vuelve el tendero. Al entrar, cierra la puerta tras de sí, con llave.

–Bonitas amistades tiene –me dice, recobrando el aliento.

–¿Yo? –pregunto, pero tengo la boca tan seca, que apenas si puedo hablar–. Nunca… nunca los he visto.

–Dígale eso a la policía –dice el hombre, acercándose con rapidez al teléfono sin quitarme la mirada de encima–. No intente ninguna tontería.

Mira hacia su izquierda, en donde veo, por primera vez, una cámara de televisión de seguridad.

–De cualquier forma ya quedó filmado –dice.

Como si fuera un personaje sacado de un sueño, respiro profundo, agarro una botella que está detrás de mí y la estrello con todas mis fuerzas contra el lado de la caja registradora. Intentando ocultar mi pánico, grito:

–¡Abra la puerta o –con desesperación busco las palabras que hubiera utilizado Scag–, o le hago añicos su maldita cara!

El hombre abre los ojos pero alcanza a decir:

–No empeore las cosas o…

–¡Abra! –vuelvo a gritar, amenazándolo con la botella rota.

–Se está comportando como un pequeño idiota –dice, pero al ver mis ojos, se acerca a la puerta y le quita el seguro.

–Abra.

Encogiendo los hombros, el tipo procede a abrirla.

–Ponga la botella a un lado y nos olvidamos de todo…

Sin embargo, arrojo la botella al suelo, me lanzo a la puerta y corro por la avenida comercial, los ojos me arden y me corren las lágrimas. Doblo una esquina y luego otra hasta llegar a una calle menor en donde veo un basurero. Todo parece en calma, ni siquiera se escucha la remota sirena de algún auto de policía.

Me cubro la cara con las manos y me pongo a llorar.

Para cuando regreso al inquilinato, la fiesta está en pleno apogeo. Fue una caminada larga y muchas veces me vi pensando que debía olvidarlo todo, perderme en la noche y quizá volver a casa.

Pero no quiero darles ese gusto. Quiero mostrarles que también yo puedo valerme solo.

Escondiéndome en las sombras cada vez que veía un auto de policía, sigo las señales que indican cómo llegar a Brixton. Cuando llego a la avenida principal del barrio, ya sé cómo llegar a St. Mark's Road.

Sí, en efecto, la fiesta tuvo lugar. La alcanzo a escuchar desde el fondo de la calle. Cuando llego a la puerta, la sensación es como si la casa tuviera vida propia. La música vibra en el espacio como el pulso de un corazón.

Entro, y la gente que está en el corredor –bebiendo, riendo, fumando– ni siquiera se vuelve a mirarme.

Acto seguido, me toca abrirme paso a empujones, como diciendo: "Lo siento, pero resulta que yo vivo aquí", hasta llegar a arriba.

No veo a nadie conocido, de manera que me dirijo a mi cuarto. Necesito acostarme y pensar en todo lo que ha ocurrido. La puerta está abierta y, un par de chicas que no reconozco, están echadas sobre mi colchón, cerveza en mano. Apenas si me miran cuando entro.

–Este es mi cuarto –les digo.

Una de las chicas me mira.

–¿Mi cuarto? –dice medio borracha–. Pensé que aquí todo era comunal.

No estoy en disposición de ánimo para discutir el concepto de propiedad.

–He dicho, mi cuarto.

–Encantador –dice la chica que habló antes, pero se pone de pie, llevándose la botella a la boca.

También su amiga se levanta.

–Patético niñito bien– dice, al tiempo que se alejan hacia la puerta.

Me miro en el espejo roto un rato. Todavía tengo los ojos rojos y veo marcas de mugre allí donde el polvo se pegó al sudor.

Nick Morrison. Ladrón de autos. Cómplice en asalto a una licorería. Fugitivo. Peligroso. No se le acerque a este muchacho. Sólo pensarlo me produce un ataque de risa histérico.

Abajo, el ruido de voces y de la música parece hacerse cada vez más alto. Alcanzo a imaginar a Pete, John, Julie… luego a Scag e incluso a Carla. Se la hicimos al viejo Nick, ¿verdad? No lo volveremos a ver. Qué buena broma.

Sin saber muy bien qué voy a hacer, resuelvo bajar.

John está en la cocina hablando con Pete, Daniela y otra chica. Se demora en reaccionar, como a veces ocurre en las comedias que pasan por televisión.

–¡Oye, lo lograste! –dice por fin, alejándose del grupo para que no oigan lo que vamos a decir.

–Sí, pero no gracias a ti –le digo, apretando los dientes.

–¡Oye, tranquilízate! –dice–. Pensamos que sabías lo que debías hacer. Debiste correr cuando nosotros lo hicimos.

–Debes pensar que soy idiota. Me embaucaron.

–¿Que qué? –es Pete el que habla ahora, que se ha acercado a nosotros–. ¿Por que íbamos a hacer eso?

–En fin, escapaste, que es lo que importa –dice John, cambiando de tema–. ¿Qué ocurrió?

–Le di un botellazo –digo, como si cualquier cosa–. En la cara.

Esta mentira parece impresionarlos sobremanera.

–De modo que ahora es hurto agravado –digo–. Supongo que sabían que había una cámara de televisión de seguridad.

Pete alza los hombros, como si no fuera nada nuevo.

–No me digas– dice, los ojos muy abiertos y el tono sarcástico.

–Pues sí –les digo–. Ahora somos los malos en nuestro propio video.

Estoy a punto de irme, cuando agrego:

–¿Toda la tramoya fue idea de Scag?

–Ya te lo dije –dice John–. No pensamos que…

–Seguro –digo y les doy la espalda.

Hay una botella de cerveza destapada sobre la mesa de la cocina. La agarro, le echo un sorbo y me siento preparado para confrontar a Scag, a quien no veo por ningún lado. Busco en todos los cuartos, en todas las esquinas donde hay gente, pero ni rastros de Scag o Carla.

Por último, busco en el dormitorio de ellos. La puerta está cerrada con seguro. Golpeo.

La voz de Scag me manda al diablo o algo de ese tenor. Hasta aquí llegó el asunto de la vida en comunidad. Me tomo otro trago de cerveza y vuelvo a mi pieza para planear el futuro.

Nueve

El chico de la botella

Los sentimientos son algo muy extraño. Uno pensaría que, al despertar, al día siguiente, echado sobre mi cama y convertido en miembro cabal de una hermandad de delincuentes, rodeado de gente que me delataría a la policía con gusto, mis primeros pensamientos serían algo así como: "Me largo de este antro; vuelvo al seno de mi hogar".

Pues no. En parte porque no puedo dejar de pensar en los hechos ocurridos anoche y en parte porque la música abajo parece estar tronando a un millón de decibeles, no logro dormirme sino como hasta las seis de la madrugada. Al despertar, bien entrada la tarde del domingo, siento que me muero de ira. He aquí la suma integral de mis pensamientos.

ODIO A MI FAMILIA

Fue ella la que me expulsó de mi hogar, la que empezó a desintegrarse tan pronto me dieron la espalda, la que llamó a la policía cuando expresamente les pedí que no lo hicieran.

No entienden. No tienen ni malicia de lo que implica ser yo. Jamás supieron.

No parece haber solución. Si me quedo aquí, me traicionarán de nuevo. Si vuelvo a casa, será como ir de frente a ponerme en manos de la ley, ir a juicio por robo a mano armada y ser condenado a alguna especie de colegio-prisión que hará parecer a Holton el paraíso en la tierra.

Es culpa de ellos. Yo no quería nada de esto. Espero que por lo menos eso lo comprendan.

Llevo despierto un par de minutos, cuando escucho un tímido golpear a mi puerta. Sin que la autorice, entra Carla con su mejor expresión en el rostro, cara de lo muy caritativa que es.

—Oye, hombre hogareño —me dice, de pie, al lado del colchón—. Me enteré de lo ocurrido.

Me encojo de hombros.

—Quise advertirte —me dice—. Intuí que querían fregarte la vida.

–¿Intuir? –le digo en voz baja–. Lo sabías.

Carla niega con la cabeza.

–Scag estaba actuando más extraño que de costumbre. Esa noche se llevó a John a un lado y con seguridad se ingeniaron toda la trama. Es un truco viejo.

–Hubiera podido volver aquí con la policía.

Carla se ríe.

–Mira, John y Pete le temen más a Scag que a la policía. ¿Es verdad que le cortaste la cara al tendero con la botella?

–¿Qué crees tú? –le digo, envenenado, pero agrego después–: sólo… sólo lo amenacé un poco, para asustarlo.

–Un tipo duro.

No me río.

–Te perdiste la fiesta –dice.

–Estuve con quien quería estar.

–Conmigo no hablaste –dice en voz baja.

–Al parecer estabas muy ocupada –digo, sin mirarla a los ojos–. Ocupada en la cama con ese bastardo que intentó arrojarme a la policía.

–Nick… –dice.

Le pido que se marche, utilizando la frase preferida de John, pero, tan pronto cierra la puerta tras de sí, me siento mal.

–Carla –digo, demasiado tarde.

Algo ha cambiado en el inquilinato. Además del hecho de que el domingo al anochecer, cuando bajo a la cocina en busca de una tostada, el lugar está en el estado más deplorable que uno pueda imaginar: latas de cerveza, botellas, platos sucios repletos de colillas por todas partes. Hay incluso un par de cuerpos desconocidos regados por ahí, echados sobre sillones, sobre cojines tirados en las esquinas, asistentes a la fiesta que andan por ahí todavía vivos, pero que no estarán en estado de salir por la puerta antes de un buen rato.

Estoy sentado en la mesa de la cocina cuando llega Julie, hecha un desastre. Medio la saludo con un gesto de la cabeza y me quita la mirada como si yo no existiera.

"Maravilloso", me digo. "Ahora soy el paria del inquilinato".

−Hola, Julie −le digo.

Ella enciende la tetera y mira por la ventana mientras hierve el agua.

−¿Cómo estás? −insisto.

−Vete al diablo −contesta, sin siquiera darse vuelta.

−Perdona porque respiro −le digo y me sacudo la cabeza de espanto al escuchar lo que yo mismo acabo de decir.

Es como si Marisa, la reina del cliché, se hubiera apoderado de mi cerebro. Falta poco tiempo para que empiece de decir cosas como 'estás bromeando' o 'por sus señas los reconoceras'.

–Tú no eres más que problemas, ¿lo sabes, verdad? –dice de pronto Julie, pero aún mirando por
la ventana–. Lo supe tan pronto te vi. Serios problemas.

–Sí, lo siento. Supongo que debí haberme dejado
arrestar anoche. Qué falta de delicadeza de mi parte.

–No cuadras aquí.

–¿No me digas?

La verdad es que no se me ocurre qué decir al
respecto porque, en el fondo de mi corazón, sé que
es perfectamente cierto. Soy uno de esos tipos que
nunca cuadra en ninguna parte.

–De acuerdo, y no me importa –digo sin vigor.

–Ya te importará –dice Julie.

Y sí, en efecto me importa, pero no como ella espera.

Bien puede ser domingo en la noche, Julie acaba
de bajar después de doce horas continuas de fiesta,
y aún así, sale a trabajar. Parece que la demanda por
lo que ella vende jamás se agota.

Estoy dormido, en la cama, cuando la oigo llegar
a eso de las tres o cuatro de la mañana. Lo próximo de lo que me entero es que John me sacude del
hombro de la forma menos amigable.

–Se te necesita abajo –me dice.

–¿Me necesitan? –murmullo.

–Sí –dice John y mientras me desperezo y empiezo a volver en mí, noto algo extraño, tal vez miedo,
en su mirada–. Ha ocurrido algo.

Unos minutos después, tan pronto entro a la escena, descalzo, con mi camiseta y en *jeans*, sé que estoy en problemas.

Están todos: Pete, John, Julie y Carla, sentados alrededor de la mesa como si fuera una junta de negocios de papá o algo por el estilo. Scag está de pie, al lado de la cocineta, fumando y sonriente.

Cuando Scag sonríe, algo malo pasa.

En la mitad de la mesa, descansa un periódico. Cosa nada inusual. Con frecuencia, Julie, de vuelta de su trabajo, pasa por una tienda de esas que abren toda la noche para comprar una barra de chocolate y la edición matinal de algún pasquín de mala muerte.

Pero este, en particular, sí es inusual. El titular de primera página dice: EL CHICO DE LA BOTELLA. Debajo se ve la foto borrosa de un chico con los ojos desorbitados, botella rota en mano; una foto violenta, salvaje… el tipo de cosas que pueblan las pesadillas de los padres.

Correcto. El chico de la botella soy yo.

Se me seca la boca, levanto el periódico, lo observo un rato y lo arrojo de nuevo sobre la mesa.

−La fama, por fin −digo, pero alcanzo a escuchar el temblor en mi voz.

John alcanza el periódico y empieza a leer en voz alta lo que dice el pie de foto y luego el artículo impreso.

"Sábado en la noche. Streatham. Vándalo adolescente amenaza tendero indefenso con una botella rota mientras sus dos compinches arrasan la tienda para robarse botellas de licor antes de emprender la huida.

"Pero se trata de un vándalo muy diferente en esta ocasión: Nicolás Morrison, el hijo de catorce años, de una familia sana y respetable. Diez días atrás, Nicolás huyó del internado privado, Holton College, para dedicarse a la delincuencia.

"El padre de Nicky, el banquero Gordon Morrison, conocido hombre en la bolsa de valores, anoche rogó de manera exaltada por el retorno de su hijo y ofreció una 'recompensa importante por cualquier información que pueda llevar a dar con su paradero'.

"'No cabe duda de que el muchacho que se ve en el video de seguridad es nuestro hijo, Nicky' dijo el señor Morrison. 'Sólo puedo pensar que cayó en mala compañía y está siendo utilizado. Estoy dispuesto a compensar de modo importante cualquier información que conduzca al retorno de Nicky. Queremos que nuestro hijo vuelva'".

John interrumpe su lectura y levanta la cabeza:

—¿Conque mala compañía, Nicolás, ah?

Vuelve su mirada sobre el periódico.

"Ver página cinco para línea telefónica directa en busca de Nicolás Morrison. Página siete, opinión: ¿Qué ocurre con nuestros hijos?".

Se hace un silencio de casi treinta segundos en la cocina.

–La policía va a llegar antes de que termine el día –dice Julie–. Alguien, sin el menor problema, va a reconocer la foto.

–Me marcho –digo en voz baja–. Me marcharé ya.

–Y cuando lo hagan –dice Pete, como si yo no hubiera hablado–, nos encontrarán a John y a mí. También debemos aparecer en ese video.

–Siempre dije que sólo traería problemas –murmura Julie.

Busco los ojos de Carla pero lo único que ella hace es mirarse, abatida, las manos. Me dirijo hacia la puerta y digo:

–Voy por mis cosas. Ya, me largo, ¿oyeron?

–No.

Es Scag, con la voz más calmada posible, que prosigue:

–Quédate. Ya se nos ocurrirá algo.

–Preferiría irme –les digo, y para buen provecho de Carla, agrego–: Aquí no hay nada para mí.

–No fue pensando en ti que dije lo que dije– anota Scag–. Es el resto de nosotros lo que me preocupa. Tendremos que seguir viviendo cuando tú estés de nuevo con mami y papi.

Lo miro con frialdad. Comprendo, de pronto, que Scag no durará mucho tiempo en este sórdido lugar. Es demasiado inteligente, demasiado ambicioso para quedarse al lado de gente como John o Julie. De vuelta al mundo de verdad, utilizará el poder que ejerce sobre la gente para hacer dinero. Incluso ahora, después de todo esto, siento piedad por Carla.

–Necesito pensar –dice Scag–. Por el momento, métete en tu cuarto. No salgas.

–Si crees que voy a salir para ir a la policía y contarles sobre ustedes, puedo asegurarte que…

Scag vuelve a sonreír.

–Vete a tu pieza, Nick. Sé un buen chico.

Quizá me consideren el tontarrón más inocente del mundo, pero juro que no tengo idea de lo que se está cocinando, ni siquiera después de que, más tarde esa noche, Scag entra a mi cuarto sin golpear y me dice:

–Tenemos un trabajito, Nick.

–¿Yo? ¿Para mí?

–Para quién más.

Me observa en silencio mientras me pongo la camiseta y los *jeans:*

–¿Otro auto? –pregunto, sobre todo para iniciar algún tipo de conversación.

Una vez vestido, lo sigo, escaleras abajo. Fuera de Carla, que está en la cocina, no parece haber nadie más. Pero al cruzarme los ojos con Carla, me doy cuenta, por su rostro, de que hay algo raro respecto a este trabajito.

Quizá lo lamenta. Quizá se siente culpable. Sí, sea lo que sea, Carla está metida en esto.

Hace un movimiento ligero con la cabeza, como indicando que quiere decir algo, pero Scag desciende las escaleras con rapidez y determinación.

Estamos ya en la puerta, cuando digo, a propósito de nada:

—Oye, olvidé mi navaja. Ya estoy contigo, Scag.

Antes de que pueda decir nada, ya voy escaleras arriba. En la cocina, Carla deja ver una sonrisa de alivio. Luego, llevándose un dedo a la punta de los labios, me pasa una pequeña caja de fósforos.

—Nick, debemos irnos —dice Scag, impaciente.

—¿Fósforos? —abro la caja y veo algo escrito dentro.

De nuevo Carla se lleva el dedo a la boca. Luego, lo coloca sobre los míos, una especie de beso dactilar. Tal vez una de las cosas más sexis que jamás me haya ocurrido.

Salgo.

—¿Encontraste la navaja? —pregunta Scag.

—Eeh… sí, seguro —le digo.

No necesito leer la nota al interior de la caja de fósforos para comprender que no será un trabajito nocturno normal. Para empezar, no nos vamos a pie, como solemos hacer, sino que nos vamos en el Cortina de John.

—¿Cómo vamos a robar un auto si nos vamos en uno? —pregunto.

Scag conduce con cuidado, lanzando miradas al espejo retrovisor de vez en vez.

—Ya verás —dice.

Está tan preocupado que durante casi cinco minutos enteros no enciende un cigarrillo. Para Scag, que enciende uno tras otro, la cosa es realmente extraña. Uno, dos kilómetros. Palpo los fósforos en mi bolsillo pero, mientras Scag no necesite fuego, no debo sacarlos.

Me parece que vamos hacia el sur.

Haciendo de tripas corazón, pregunto:

—¿Cómo es la historia de tu nombre, Scag?

—Así me decían en el colegio.

Conduce tranquilo ahora, una mano en el volante la otra sobre la ventana.

—¿Cuál es tu verdadero nombre, entonces?

Se vuelve para mirarme, levantando las cejas, sorprendido con mi audacia.

—No se lo diré a nadie —le digo.

Sigue observándome y de pronto comprendo qué es lo que encuentro extraño en Scag esta noche. Antes de uno de los trabajos, Scag suele estar tenso, como una cuerda de violín templada, todo su ser concentrado en el trabajo. Luego, ya birlado el automóvil y camino a sus contactos, se torna apacible, se sosiega como si la perspectiva del dinero le tranquilizara el alma.

Así es como está ahora. Tranquilo, relajado. Y, sin embargo, no ha realizado el trabajo.

Entonces lo veo todo claro, incluso antes de leer la nota de Carla. Esta noche no es un automóvil lo que le va a dejar dinero, soy yo. La recompensa. Yo soy el trabajo.

Lo veo buscar en el bolsillo del pecho sus cigarrillos y, sintiendo un enorme alivio, saco la caja de fósforos que me dio Carla.

–Arlo –dice–. Así me bautizaron.

Me lanza una mirada que dice "si te ríes te mato".

–Arlo.

–Bonito nombre –digo, jugando con los fósforos.

–Nombre *hippy* –dice Scag, inclinándose hacia mí para encender su cigarrillo–. Mis padres eran *hippies*, cuando nací.

–Mi madre también es así –le digo, de pronto abrumado con recuerdos de casa–. Canta canciones de los años sesenta en la cocina.

Scag asiente con la cabeza pero no escucha. Me doy cuenta de que su cabeza está por allá en su antigua casa con el señor y la señora Scag, los *hippies*. Me pregunto si los extrañará tanto como yo.

Los fósforos. Haciéndome el que me limo una uña con el rastrillo, leo la nota de Carla.

"Te van a entregar por el dinero. Dejaré tus cosas al lado de la basura".

Claro. Tal y como lo supuse.

Guardando los fósforos, lo miro, a mi lado, y casi le digo algo como: "Un millón de gracias, Arlo, no sabes cómo te lo agradezco".

¿Pero cómo va a hacer para entregarme a la policía? A Scag lo buscan en relación a un millón de crímenes. Como dicen en la televisión, Scag no le es extraño a la policía.

Tampoco puede simplemente dejarme por ahí, porque tiene que reclamar la recompensa. ¿Quién más podría hacerlo? A John y a Pete los reconocerían por el video. Julie jamás querrá tener nada que ver con la policía. Estoy seguro de que Carla no reclamaría dinero por devolverme. Entonces, caigo. El contacto de Scag, el reducidor, el señor respetabilísimo de los barrios periféricos buenos a quien Scag le lleva los autos robados. El intemediario perfecto. Por eso, nos dirigimos hacia el sur.

Algunas veces, sólo algunas veces, las cosas nos salen bien. Nos detenemos en un semáforo cuando veo que, también detenido y en dirección contraria, va un autobús.

Cambia el semáforo. Una vez Scag arranca, cuento hasta cinco y con el auto todavía apenas a quince o veinte kilómetros por hora, abro la puerta del pasajero y salto.

Duele, ya que me pego contra el borde de la acera y me tuerzo un tobillo, pero me recupero pronto y corro en dirección contraria a la que veníamos, tras el autobús. Haciendo esfuerzos por no pensar en el dolor del tobillo, alcanzo el autobús, salto a la puerta trasera y veo alejarse el semáforo.

Alcanzo a escuchar en el fondo del cráneo el chirrido de las llantas cuando Scag intenta hacer la U, pero es una calle estrecha, de modo que, para cuando Scag nos sigue, hay un auto entre nosotros y él.

El autobús cruza en una esquina, de modo que Scag nos pierde de vista por un instante, salto fuera, de nuevo a la calle, y me escondo acurrucado entre dos autos estacionados.

El Cortina pasa como un bólido. En la próxima parada de autobús, Scag se bajará del auto y se subirá al autobús sin otra cosa en la cabeza que la recompensa importante que se le está saliendo de las manos. Y yo no estaré allí.

Me encanta. Me encanta la idea.

Tan pronto se alejan el autobús y el Cortina, me levanto. Una ramalazo de dolor, que se origina en el tobillo, me cruza el cuerpo.

Tranquilo, Tigre, tranquilo.

Scag volverá pronto, buscará en los botes de basura, debajo de los autos.

Veo que calle abajo todo está más oscuro, como si no hubiera postes de luz. Cojeando, me dirijo en esa dirección por una calle tranquila, atento al menor ruido del motor del Cortina.

Sí. La suerte empieza a mejorar. Un parque, con columpios, toboganes, etc. Arbustos. Árboles. Y sin luz. El paraíso de un fugitivo.

¿Hacia arriba o hacia abajo?

Muy cerca, veo un viejo y enorme árbol cuyas ramas inferiores apenas si alcanzo. Me trepo, intentado no pensar en el dolor del tobillo y subo hasta que estoy como seis o siete metros por encima del suelo y rodeado de fronda. A prueba de Scag.

Unos diez minutos más tarde, pasa el Cortina, patrullando la calle, pero Scag debe saber que me perdió porque ni siquiera se detiene en el parque.

Igual, paso la más larga y más incómoda noche trepado en el árbol. Además de las punzadas de dolor en el tobillo, una rama me hiere la pantorrilla. Lo que pareciera un millón de pájaros empiezan a celebrar el nacimiento de un nuevo día, ya estoy harto y me bajo del árbol. Que placer sentir la tierra debajo de la planta de los pies.

"Dejaré las cosas al lado de la basura". Poniendo a prueba mi tobillo mientras cruzo el parque en la penumbra, pienso en la segunda parte del mensaje de Carla. ¿Qué cosas tenía yo que pudieran servirme?

Entonces, entendí. Ella sabía que necesitaría mi morral si lograba escapar. Lo dejaría con las bolsas de la basura frente a la casa ocupada.

A eso de las siete de la mañana, logro montarme en un autobús que me lleva a Brixton y el pasaje me cuesta el último escaso cambio que me queda en el bolsillo. Uno o dos de los viajeros madrugadores me miran de manera curiosa y ruego porque no me vayan a reconocer gracias a la foto en los periódicos. Cuando me observo, veo que estoy cubierto de hojas, las manos y la ropa sucias y los cordones de mi pie herido, sueltos. No se necesita ser Sherlock Holmes para percatarse de que no voy precisamente camino al colegio para una clase temprana de matemáticas.

Son más de las ocho para cuando llego a Brixton y St. Mark's Road parece en orden y silencio. Antes de acercarme a la casa en donde he vivido, donde Carla duerme al lado de su amante, la observo.

No hay señales de vida.

Detrás de los botes y bolsas de basura, encuentro mi morral metido en una bolsa plástica negra. Lo agarro y me largo, paticojo y adolorido, calle abajo.

Para cuando llego a una banca en la que puedo sentarme a examinar mis pertenencias, ha salido un tibio sol otoñal tras las nubes.

Dentro del morral, hay dos pares de camisas que reconozco como de Carla, un abrigo viejo, un cepillo de dientes y, puro al fondo, un billete de diez libras envuelto en un pedazo de papel, la despedida de Carla:

Hombrecito hogareño,

Esto es todo lo que tengo. Espero que te ayude. Si te agarra la policía, por favor, no los conduzcas al inquilinato. Sé que no tienes nada que agradecerle a Scag, pero él está confundido. ¡Tiene celos de ti y de mí!

No me olvides. Yo no lo haré.

Besos y abrazos.

Carla.

Coloco el billete y la nota en mi bolsillo trasero y sigo calle abajo sin saber para dónde voy ni qué debo hacer, y la verdad, me importa poco.

Mi casa no es la mejor de las ideas, eso con seguridad. No ahora que me busca la policía.

Algo en mí quiere llorar, pero estoy tan triste que siento que nunca más volveré a llorar. Quizá resulte difícil de entender, pero es cierto.

Debiera pensar en el futuro. O en mi familia. Pero lo único en lo que pienso es en Carla y en aquello de besos y abrazos.

Quizá algún día la vuelva a ver, cuando esté de vuelta en el mundo real.

Diez

La escoria del río

Un dato curioso:

Muchas de las personas que se desplazan a mi lado con prisa, camino a su trabajo, llevan el periódico con mi rostro en primera página y, sin embargo, si alguno de ellos me detiene y me dice: "Usted es el muchacho de la botella y reclamo, pues, la recompensa", la verdad me importaría un rábano. Estoy muy cansado como para seguir huyendo y escondiéndome. Tengo hambre, me duele el pie.

Pero no lo hacen. Esta gente rumbo a su trabajo parece sacada de una película que se titulara *La invasión de los zombis*. Los ojos vidriosos y muertos. Pienso que, cuando salga del colegio, no trabajaré en un trabajo normal por ningún motivo. Luego sonrío en silencio. A este paso, el único trabajo que haré en la vida será coser sacos de correo en alguna cárcel cercana.

Debo haber caminado por lo menos una hora sumido en mis pensamientos y cada vez más deprimido con el desastre que he hecho de mi vida, porque de pronto me encuentro en el río, junto a la estación de Waterloo.

Durante un rato, me dedico a observar a los zombis que cruzan el puente sobre el río con ese paso presuroso que parece decir "qué dirá mi jefe", pero el tobillo me duele mucho, de modo que bajo las escalinatas y me siento a pensar bajo el puente.

A unos diez metros, a contraluz, veo la silueta de una mujer vieja que canta la misma canción una y otra vez, al tiempo que sacude unas monedas dentro de un vaso plástico que lleva en la mano. La gente que pasa de largo la mira de vez en cuando o susurran entre sí. Ella sigue impertérrita con su canción: *Tú eres el sol de mi vida.*

Empiezo a compadecerme seriamente, allí sentado, escuchando a la vieja mujer cantando mientras el resto de la humanidad sigue su propia vida. No hay nada más deprimente que ver a los mayores guardando la más absoluta de las composturas cuando nada amerita tamaña indiferencia.

Estoy tan metido en mis reflexiones que, cuando escucho el ruido metálico de una moneda al caer sobre el pavimento, me toma un par de segundos comprender qué es lo que ocurre. Levanto el rostro y veo a una mujer, muy elegante, que se aleja con rítmico taconeo y cierra su cartera.

¡Pensó que yo era un mendigo!

Me encuentro aún pensando qué hacer con la moneda, cuando un ejecutivo cuarentón se hurga los hondos bolsillos de su pantalón y, evitando mis ojos, se inclina para depositar un poco de cambio frente a mí.

−Perdón, pero… −intento decirle, sin embargo, antes de que pueda explicarle que no quiero su dinero, ya el tipo se ha marchado casi que avergonzado por lo que hizo.

En este instante, la vieja mujer deja de cantar y se me aproxima sin dejar de sacudir el vaso plástico con las monedas, como si el ritmo de la canción siguiera resonando en el interior de su cabeza. Se detiene frente a mí y veo que no es tan vieja como pensé en un primer momento; sin embargo, el mugre en la cara, en las manos y la ropa hacen que sea difícil establecer su edad. Tiene gafas, lleva un viejo suéter puesto encima de una camisilla delgada y lo que parece un par de medias de futbolista escurridas hasta los tobillos dentro de unas sandalias.

−Este es mi territorio− dice.

–Perdón.

–No me pida perdón –continúa, mientras observa mi montón de monedas, cosa que me hace sentir culpable–, y más bien lárguese de aquí.

–Me gustó su canción –le digo, cosa que no es más que una mentira.

–Sí, bueno, pues igual lárguese.

Mientras ella habla, yo recojo las monedas. Luego, me pongo de pie, el cuerpo entero adolorido por el cansancio y la falta de sueño y arrojo las monedas en su vaso de plástico. Ahora, la mujer parece menos agresiva.

–¿Qué edad tiene? –me pregunta.

–Catorce.

Se encoge de hombros, como si le diera lo mismo que yo tuviera catorce o cuarenta años. Luego, al ver un grupito de gente que se acerca a nosotros, empieza a cantar de nuevo, esta vez mucho más fuerte:

–*La otra noche, cariño, mientras dormía…*

Por instinto, agarro su vaso plástico y lo sacudo siguiendo el ritmo de la canción. Un par de mujeres jóvenes, una de las cuales se parece a Josefina, la amante de mi padre, desaceleran un poco el paso y nos observan. Por un instante, pienso que me han reconocido por la foto del periódico pero, entonces, y al unísono, ambas abren sus bolsos y cada una echa algunas monedas en el vaso.

Pienso algo como que ha nacido un gran equipo. La señora mi sol y yo… y como ella no me ha dicho su nombre, la bautizo así, mi sol.

–*Tú eres mi sol* –continúa ella.

Yo sacudo, sacudo.

Quizá un día grabemos un disco juntos.

Para cuando ha pasado la hora pico, siempre hemos recogido nuestros buenos chelines. Pienso, además, que si escucho la pinche canción una sola vez más, me voy a poner a dar alaridos. Pero mi sol se calla, observa el vaso plástico y dice:

–Descanso para un café.

Abre un enorme bolso de lona verde que reposaba a su lado en el suelo y echa allí con descuido el contenido del vaso. Levanta la bolsa y se aleja como quien, de pronto, recuerda una cita previa.

Yo me quedo quieto, de pie, no muy seguro de haber sido invitado.

–¡Descanso para un café! –grita, esta vez volviéndose sobre su hombro.

No es la más amable y calurosa de las invitaciones que yo haya recibido, pero tengo hambre y además no tengo lugar distinto adonde ir.

El café al que mi sol me lleva, tiene los vidrios empañados, de modo que no se alcanza a ver la calle afuera. Está lleno de gente y de humo y huele a tocineta, cosa que me recuerda las fritangas que Carla solía prepararnos a Scag y a mí después de realizar un trabajito.

Me pregunto cómo se encontrará Carla.

–Muévete, cariño –me dice una señora volumi-nosa que aparece por detrás cargando dos enormes bolsas plásticas, mientras yo espero a que mi sol encuentre dónde sentarnos.

–Excúseme –le digo, borrando el recuerdo de Carla.

–¿Quién es tu nuevo novio? –pregunta alguien al tiempo que nos sentamos.

Sonrío, muy bien educado, valiente chiste.

Para comenzar, mientras mi sol me cuenta sobre su vida y nos comemos un desayuno que consiste de mucha grasa, una pizca de tocineta y huevos, la cosa me parece interesante. Su esposo fue un piloto héroe de guerra que murió en la Batalla de Inglaterra, cuenta. Debieron haber sido muy ricos porque solía vivir en una enorme casa con jardinero y ma-yordomo. En cuanto a ella, durante la guerra, con-dujo una ambulancia y salvaba por lo menos cinco vidas diarias. Infortunadamente, tuvo que salir de la casa cuando descubrió que el jardinero era un espía alemán en pactos con el diablo.

–¿En serio? –pregunto.

La verdad que me toma un tiempo, ya que suelo creer lo que la gente dice pero, para cuando mi sol me explica que vive en la calle porque el gobierno, también en pactos con el diablo, está tras ella por-que sabe algo acerca de lo que están haciendo con el agua corriente, algo tan secreto que ni siquiera a mí me lo puede contar, pues bien, comprendo que estoy con una loca de atar.

De pronto, se interrumpe, tenedor al aire, escurriendo yema frente a su boca, y me pregunta:

—A todo esto, ¿cómo te llamas?

—Nick —contesto.

—¿Qué? —dice, y le tiembla la mano—. ¿Qué acabas de decir?

—Pues… —y entonces, recuerdo algo que alguna vez escuché en clase de religión o en algún lado: Nick, en el idioma inglés, fue uno de los nombres que se le daba al diablo. Solían llamarlo el viejo Nick y el Mandinga y Pedro Botero, si es que alguna vez existió, cosa que no creo.

Mi sol me mira apretando los ojos.

—Dick —corrijo con rapidez—, pero puede llamarme Richard, si así lo prefiere.

—Umm —murmura, pero sigue con su desayuno, levantando la mirada de vez en cuando para mirarme, suspicaz.

—¿Por qué no puede decirme cómo se llama? —le pregunto, como para cambiar de tema y reducir la tensión.

Mi sol suelta una de esas risitas que quiere decir que no va a caer en la vieja trampa. Se toca con un dedo la punta de la nariz, como quien se aproxima a soltar una confidencia.

–Cómo te encantaría saberlo, ¿verdad? –dice–. ¿Te han puesto algún empaste en los dientes?

Me pregunto: "Por Dios, ¿y ahora qué?".

–No –replico–. Me han mimado los dentistas.

–Menos mal –dice mi sol–. Me imagino que sabes que utilizan los empastes para entrar en sintonía con tu cerebro, ¿verdad?

Sí, y, Dios mío, ¿cómo me largo de aquí?

Pero resulta que no tengo a dónde ir. De modo que, cuando mi sol se levanta y busca dentro de su bolsa verde el dinero para pagar el desayuno, me veo siguiéndola.

Una vez fuera me dice.

–Ven y te muestro dónde dormimos. ¿Tienes una manta?

–Una muy delgada, en mi morral.

Por primera vez, se me ocurre que mi sol duerme en la calle.

La sigo casi un kilómetro, río abajo, a una especie de campamento en un patio detrás de un estacionadero. Por todos lados, hay un reguero de cajas de cartón, a veces en forma de pequeños refugios, otras aplastadas en el suelo, protegidas por un manta. Haciendo caso omiso de mi sol, me dirijo lentamente hasta donde veo a un hombre acostado boca arriba cubierto por una manta. Tiene una barba canosa y una oscura piel mugrienta, pero aún así, se le ve sereno el rostro en su sueño. Abraza, como si fuera un bebé, una botella de trago.

Observo el lote. Un hombre alto, sin afeitar, y uno de los más flacos que jamás haya visto, se acerca a donde mi sol ha depositado su bolso, al lado de un cuchitril de cartón. A la luz del sol otoñal, el hombre le habla, pero mi sol parece no prestarle atención.

Una vez se marcha el larguirucho, me acerco.

—Mi hogar —dice, arreglando un poco la manta antes de sentarse sobre ella, frente al cuchitril—. ¿Qué te pasa? ¿Viste un espanto?

—No —digo, sin convicción.

—Cerca hay un supermercado. Allí te conseguiremos cartón.

—¿Y la manta?

Sin decir una sola palabra, mi sol se pone de pie y se aleja. La sigo con torpeza. Sobre la calle, veo una furgoneta dentro de la cual una mujer de pelo corto y gafas lee la prensa.

—No vayas a ir al albergue, ¿correcto? —me dice mi sol, al acercarnos a la furgoneta—. Siempre tratan de llevarte, pero es una trampa.

La mujer de la furgoneta sonríe al vernos llegar.

—Necesitamos una manta —dice mi sol—. El muchacho, aquí, la necesita.

—¿Recién llegado? —pregunta la mujer.

Asiento.

–Hay un albergue para jóvenes, ¿lo sabes? Te podría llevar allá.

–No, gracias –digo–. La verdad es que no me apetece meterme en un albergue para mendigos.

–En fin, yo vengo todos los días –dice la mujer, al tiempo que desciende de la furgoneta, abre la puerta trasera y me alcanza una manta–. Si necesitan algo, aquí estaré, ¿bien?

–Gracias –le digo y agarro la manta.

–Me llamo Jill, ¿tú?

–Dick –contesto, alejándome–. Devolveré la manta tan pronto no la necesite más.

–Oye, de pasadita –le pregunto a mi sol camino al supermercado para hacerme a una casa–, ¿qué tiene de malo el albergue?

Sonríe, llena de confianza y seguridad y luego, lanzando miradas a lado y lado para asegurarse de que nadie la escucha, contesta:

–Lo administra el diablo.

–Ah –digo–, por supuesto, debí haberlo sabido, tonto de mí.

Aquella noche veo a papá.

Hemos cumplido con la rutina diaria de mi sol, que consiste en cantar *Tú eres mi sol* de ocho a diez bajo el puente y de cuatro a seis en la estación del metro de Waterloo y el resto del tiempo merodear por el campamento.

Acabamos de terminar la jornada de la tarde y juro por Dios que no quiero volver a escuchar esa canción en la vida. Con todo, el show de la vieja doña y el pelafustán parece gustarles a los transeúntes. He desocupado el vasito tres o cuatro veces y un pobre hombre mayor hasta nos echó un billete.

Subo por las escaleras para salir del metro a la plataforma superior cuando, sin siquiera darme cuenta, lo veo, como si lo hubiera presentido. Primero, supongo que hace parte de la gente que vuelve del trabajo, pero luego lanzo una mirada por encima del arroyo de gente. Allí, caminando muy despacio, veo a papá junto a un expendio de golosinas. Observa a un par de mendigos jóvenes, echados en el suelo y recostados contra la pared, con un pedazo de cartón frente a ellos. Ya los he visto antes el mismo día. "NO TENEMOS TECHO, AYÚDENOS", dice el letrero.

Mi sol camina derecho hacia papá, pero yo me paralizo. Él levanta el rostro después de haber observado a los mendigos, en mi dirección, como entre los empellones de la gente.

Tranquilo, Tigre. No sé si correr hacia él o escaleras abajo. Se ve muy mal, papá. Ni modo que hubiera ido a la oficina con el vestido que lleva en el estado que está. Los ojos vacíos, la expresión trasnochada. Se ve gris, viejo.

Durante unos segundos, no me puedo mover. Cierro los ojos y es como si me ahogara en el torbellino de gente que pasa. Cuando los abro, todo lo veo borroso, porque me ruedan las lágrimas. Me seco las lágrimas y busco a papá. Ya no lo veo, como si hubiera sido una aparición, un sueño, un fantasma.

–¿Una hamburguesa, Dick?

Mi sol ha vuelto.

–Sí –contesto.

–¿Oye, estás bien?

–Sí, muy bien.

Se descubren cosas viviendo en la calle, cosas que no se ven desde el confort del hogar. Una cierta sabiduría…

Vale, vale, ojo ahí… ojo con el ataque de clichés que se me puede empezar a salir. Sí, claro, el saber que da la calle, ¿verdad? Los lastimosos gamincitos con ojos que lo han visto todo, la maravillosa anciana de piel encallecida que comprende los misterios más profundos de la vida. Allí, entre casas de cartón y borrachitos y fugitivos de toda laya, allí resplandece el secreto del Sentido de la Vida.

Olvídense.

No acabo de salir de mi asombro al haber visto a mi padre, cuando ya mi sol me lleva de vuelta al campamento. Al caer la noche, cuando se asoman ya los primeros fríos del otoño, un grupo de chicos, cuatro hombres y una mujer, más o menos de mi edad o quizá un poco más jóvenes, aparecen de entre las sombras. Traen cajas y madera recogida a la deriva del río. En silencio, encienden una hoguera.

Atraídos por el calor, varias figuras salen de la oscuridad y se acercan al fuego que crepita, hablan poco, sólo miran las llamas.

—Bueno, ya basta, apaguen eso.

La primera gran verdad que aprendo en las calles es que, cuando no se tiene hogar, lo respetan a uno menos que a un perro en misa.

La hoguera lleva escasos quince minutos encendida, cuando llegan dos policías. Se instalan a unos ocho metros del fuego:

—Apaguen esa maldita... —y el policía más viejo suelta un rosario de improperios para decirnos que podríamos provocar un incendio. Entre los insultos menores que suelta nos llama 'escoria del río'.

Para empezar, los mendigos de más edad rezongan un poco, pero cuando los policías se acercan amenazando con llevarnos, entonces retiramos tablas y maderas de la hoguera y las apagamos con las plantas de los pies.

En un momento dado, el largo abrigo del larguirucho flaco que viera antes, se prende en fuego y el tipo baila mientras se lo quita para apagarlo con los pies. Los policías lo encuentran gracioso y se alejan, su labor cumplida.

—No debió tomarse la molestia de apagar el abrigo —le dice uno de los policías al otro—. Si se quema vivo, sería un problema menos.

Después de que se ha ido la policía, dos de los chicos me observan con ojos cortantes y luminosos en medio de sus caras sucias.

–Vamos a joder por ahí –me dice uno de ellos–, ¿vienes?

–No, gracias –les digo.

–Será divertido –dice el mayor de ellos, con el negro, largo y liso cabello cayéndole sobre la frente–. Te hacemos el tour.

Estos chicos me asustan. Del modo más natural posible, me encojo de hombros y me alejo hacia donde está mi sol acomodándose. Puede que esté más loca que una cabra, pero no es peligrosa. Alcanzo a escuchar las risas con sorna de los chicos.

Por todo el patio, se escuchan los rumores de la ciudad de cartón; farfullar de borrachos, pedazos de canciones, gritos y maldiciones cuando se arma alguna bronca.

Otra lección de las calles: entre más lejos se esté de casa, más se habla de ella.

Me siento al lado del cuchitril de mi sol, envueltos ambos bajo mi manta, en tanto ella habla sin parar sobre su casa en Surrey, el mayordomo, los parques, el enorme vestíbulo, el marido que era una especie de señor perfección, tardes soleadas podando las rosas al canto de los pájaros, juegos de croquet, vermús en el porche.

No soy imbécil, sé que todo esto es un cuento de hadas, pero parece entretener a mi sol a lo largo de la noche fría y, de hecho, a mí, me aleja de mis problemas. Como a medianoche, mi sol deja de hablar. Acto seguido y como si yo no existiera, se da vuelta y queda dormida en una fracción de segundo.

Hace frío, cosa que se constituye en mi tercera lección de las calles. Una manta no es suficiente. El frío de las losas de concreto atraviesa el delgado cartón. A pesar de que casi no ventea en la noche, la menor de las brisas me pone a tiritar.

Uno, dos, tres. Oigo unos campanazos en la distancia. Cuatro.

Me duelen los huesos, me arden los ojos, me levanto y doy una vuelta por el campamento. A pesar de que algunos borrachos duermen y roncan, soltando un gemido de vez en cuando, esto parece ser lo más tranquilo que la ciudad de cartón jamás puede llegar a estar.

Me siento sobre el muro que mira al Támesis, cuando de pronto veo dos linternas que se acercan. Me escondo detrás de una banca. Los dos policías que vi antes.

Entran al patio y, como dando una vuelta al ruedo, van alumbrando con sus linternas, uno por uno, a cada uno de los seres que duermen.

Se escuchan maldiciones somnolientas, incluso por parte de mi sol, cuando llegan a ella. Alumbran mi manta y mis cartones y se dicen entre sí algo que no alcanzo a entender.

¿Me estarán buscando? ¿Ocurrirá esto todas las noches? De pie, una vez los policías se han ido, comprendo que me toca, de nuevo, hacer algo respecto a mi vida.

Once

El preso

A la mañana siguiente, mi sol y yo recoge-
mos una respetable cantidad de dinero durante la hora pico de la mañana, pero con el
agravante de que oí *Tú eres mi sol,* una y otra
vez, sin interrupción, hasta las diez y media
de la mañana. Para cuando mi sol despacha
el último verso ronco y desafinado, yo estoy
a punto de arrojarme al Támesis.

Esa canción, por Dios, créanme, no quiero
volver a oírla.

De manera que llegamos tarde a desayunar al café y mi sol está de magnífico humor.

—Buena voz tuve hoy, diría yo— dice, sorbiéndose la segunda taza de té.

—Sí —le digo, pensando que quien la escuche creerá que le acaban de solicitar un millón de repeticiones, entre aplausos, en el Royal Festival Hall.

—¿Por qué cantas siempre la misma canción? —aventuro, en un momento de valor.

Me mira, sorprendida por la pregunta.

—Porque les gusta, ¿no?

—Quizá sólo sea que… —pero me interrumpo antes de sugerirle que quizá le tengan lástima.

—Una vez intenté otra canción —dice—. *Olvida tus problemas en un viejo morral.* Fue un desastre.

Ahora deja ver una sonrisa de loca que me hace temer por lo que pueda ocurrir enseguida:

—*Olvida… tus… problemas… en… un viejo…*

Apenas empieza a cantar, miro para otro lado, como indicando que ella no tiene nada que ver conmigo. Tengo que decirle a mi sol algo muy importante, pero ahora, que todo el café nos mira, no parece ser el momento apropiado.

Hace un buen día, caluroso y otoñal y más tarde, sentados viendo pasar el río antes de ir a la estación de Waterloo para nuestra jornada de la tarde, intento exponer mi idea.

—Es que yo —le digo—, estoy huyendo. Es más, la policía me busca. Aparecí en los periódicos.

Ella asiente con la cabeza y parpadea detrás de las lentes empolvadas de sus gafas.

–Ofrecen una recompensa por cualquier información que conduzca a dar con mi paradero –continúo.

–¡Ah, sí! –dice, pero sin mucho interés.

–Y tú la vas a recibir –le digo.

–¿Cómo?

–Es mi única salida –le digo con urgencia–. Tú llamas a la policía. Yo me entrego. Tú recibes la recompensa.

–¿Recompensa?

Veo que, de algún modo, no me he explicado bien.

–Una recompensa considerable, decía el periódico. Pueden llegar a ser mil libras esterlinas... suficiente para largarte de aquí. Quizá podrías incluso volver a Surrey.

El semblante de mi sol parece oscurecerse.

–Apártate de mí, Satanás –dice en voz baja.

–No, no has entendido –le digo, en un intento desesperado por alejarla de su tema preferido–. No quiero nada a cambio...

–El maligno me envía niños ahora –dice con voz cada vez más manifiestamente histérica–. Criaturas bien habladas para comprar mi alma. ¡Oh, astuto y solapado...!

Me dan ganas de decirle algo como: "Oye, tranquila, Tigre sólo quería que te largaras de este hueco", pero digo:

—¿De modo que no te interesa la recompensa?

Se pone de pie, muy digna, recoge su bolso de lona y me quita la mirada de encima.

—Él ofreció mi vasito de plástico —dice en voz trágica, distante—. Satanás alzó con sus manos mi vaso.

—Excúsame por haberlo mencionado —digo, pero ya voy como cinco pasos detrás de ella, que se dirige a la estación con la obstinación de un remolcador que sale de un puerto.

Entre murmullos, se niega a determinarme.

Definitivamente, no ayuda para nada en una sociedad laboral que tu socio crea que eres el diablo. Cada vez que se detiene en uno de sus lugares habituales, me mira, y luego corre adelante como negándose de la manera más rotunda a empezar a cantar, mientras Satanás esté por ahí merodeando. Finalmente, me echo la mano al bolsillo, y mientras ella hace esfuerzos por no mirarme, le suelto el billete de diez libras dentro del bolso.

—Hasta luego —le digo—. Gracias por todo.

Me alejo. Subo por las escaleras que me conducen a la parte superior de la estación, cuando escucho *Tú eres el sol de mi vida*. Desde lejos, no suena ni tan mal.

Me queda el cambio justo para una hamburguesa, de manera que camino hasta un McDonalds cerca de la estación y pido un *Big Mac*.

Sentado en el establecimiento, muy bien iluminado, se me ocurre que aquello de comer ha pasado a un segundo plano en mi vida cotidiana: desayuno en la mañana y, quizá, un sándwich en la noche, eso ha sido mi dieta desde que abandoné el inquilinato. En un espejo, al otro lado del local, avizoro el rostro ratuno de un personaje curioso, el pelo enmarañado y apelmazado, ropas oscuras y sucias y, mientras pienso que a este lugar entra cualquiera, descubro que soy yo.

Mis ojos hundidos y cansados no pintan nada bien. Mi piel se ve flácida y malsana. En general, me siento bastante mal… es como si me hubiera crecido musgo en los dientes y, en cuanto a mis calzoncillos, hace tanto tiempo que no se lavan, que están tan tiesos como un cartón. Si huelo tan mal como me veo, estoy en graves problemas.

Me veo pensando más y más en la tal recompensa. De dónde provenga, ya sea de papá, del periódico o de la policía, me tiene sin cuidado. Si todo lo que se necesita para reclamarla es que mi escuálido cuerpo vuelva a casa, entonces quiero asegurarme de que dicho dinero pase de ese universo seguro, acogedor y calientico, donde existen el bien y el mal, las neveras, los buenos modales al comer y la televisión todas las noches, al frío mundo exterior en donde el éxito no se mide sino por haber sobrevivido un día más.

No va a ser fácil, como mi intento por hacérselo comprender a mi sol demostró, pero puedo intentarlo.

Debo haber sucumbido a alguna ensoñación extraña o quizá simplemente me dormí, porque para cuando por fin salgo del McDonalds, ya está oscuro afuera y los restos de mi hamburguesa yacen fríos y solidificados. Una o dos personas me observan al salir, pero no les quito la mirada, ahora convencido de que nadie me reconocería como el chico de la botella de los periódicos.

Ha pasado la hora pico y, para cuando llego a la estación del metro, al saltar la barrera de entrada, noto que mi sol ya se ha ido a casa. Estará al lado del río a esta hora. Me subo a un tren que me lleve a Brixton.

Al fondo de la avenida comercial grande, alcanzo a ver una luz intermitente azul pero, la verdad sea dicha, casi siempre hay una luz azul intermitente en algún lugar en Brixton, trátese de la policía, los bomberos o una ambulancia… sus habitantes somos los mejores clientes que jamás hayan tenido los servicios de emergencia de Su Majestad.

Mi plan es sencillo; esperar hasta que Scag y el resto hayan salido a trabajar y luego ver a Carla. Ella tendrá que hacer la llamada a la policía, contarles dónde me encuentro y así solucionar sus problemas de dinero.

El hogareño, me llamó. Pues bien, pronto estaré en mi hogar.

Tan sumido voy en mis pensamientos que ya estoy casi encima de St. Mark's Road, cuando noto una pequeña multitud allí donde desemboca a la avenida principal. Forcejeando por entre la gente, logro divisar una cinta blanca que prohibe cruzar y un auto de policía atravesado, en diagonal, sobre la calle.

–¿Qué ocurre? –le pregunto a un joven negro que curiosea abrazado a su novia, como esperando a que se dé inicio al espectáculo.

–Una persecución –dice–. La policía está a punto de entrar a esa casa.

Señala el inquilinato, a unos cien metros. Afuera, en la calle, otro auto de policía con su lucecita azul encendida.

–Chicos de los que se roban autos sólo por el paseíto –dice la novia del tipo–. Se estrellaron en la esquina y corrieron a refugiarse allá.

Ahora veo el Cortina de John, estacionado al sesgo, en la mitad de la calle y una gran abolladura en un costado.

–Bonita manera de estacionar –digo.

Estoy viendo a ver cómo acercarme a la casa sin que la policía se percate de mi presencia, cuando se oyen más sirenas en camino. Un agente de policía que estaba de pie, junto a la cinta blanca, se dirige con rapidez hasta su auto, saca un altavoz y, al tiempo que tres autos más de policía y una furgoneta llegan al lugar, dice:

–Por favor, despejen el área. Es una operación policiva. No dificulten su labor.

La gente se echa hacia atrás, sobre la acera. Es mi oportunidad. Mientras todo el mundo observa a la policía pasar, salto una tapia y corro agachado detrás de los muros frente a los antejardines hasta que llego a un punto a no más de diez metros de la puerta de la casa.

Escondido tras unos cubos de basura, alcanzo a verlo todo iluminado por luces azules, como en una especie de pesadilla.

Ahora parece que montones de policías se acercan a la puerta principal. Se detienen por un instante en las escaleras, casi como posando para una fotografía. Entonces, alguien grita algo y los dos primeros hombres empujan la puerta con los hombros. Se necesitan dos, tres empellones antes de que, con un crujido violento, la puerta se caiga. Cachiporras en alto, los hombres de azul irrumpen en la casa.

No toma mucho tiempo. Se escuchan berridos, un grito. Entonces, aparece John por la puerta, arrastrado por dos policías, uno de los cuales lo tira del pelo mientras que el otro le agarra los brazos por detrás. Profiriendo insultos, John es arrojado en la parte trasera del furgón.

Luego, una procesión. Primero Pete, detrás su novia, Daniela. Enseguida sale Julie, peleando como una gata en celo.

Mi respiración se ha agitado. ¿Será acaso posible que Scag y Carla hubieran salido precisamente esta noche? Intento imaginármelos haciendo cola para entrar a un cine, pero no me convence la idea.

Entonces, algo me llama la atención: un movimiento entre las sombras de los tejados. Una pequeña ventana, debe ser el ático, se abre lentamente y una figura se escabulle a través de ella. Durante un breve instante, su silueta se define bien contra la pared de ladrillo, balanceándose a lo largo del alféizar y luego salta al techo.

Scag es inconfundible. Rezando en silencio, clavo los ojos en la ventanita esperando, rezando por ver salir a Carla.

Tan tranquilo como un zorro que se escabulle de una jauría, Scag parece navegar por el caballete del techo, salta un espacio que lo separa de la casa vecina y, al tocar techo, por decirlo de alguna manera, se deja resbalar por las tejas para caer del otro lado y perderse de vista.

Siempre un paso adelante en los juegos, Scag está lejos y libre.

La pequeña ventana del ático observa la calle como un ojo negro. Miro durante uno, dos minutos y pienso en Carla. De pronto, la veo.

Pero no en aquella ventana, sino en la puerta de entrada. Un policía detrás de ella pero, contrario a los otros, Carla ni forcejea ni pelea. Lanza una mirada rápida calle arriba y calle abajo tan tranquila como si sólo quisiera saber si el camión de la leche ya pasó.

El policía le da un golpecito en el hombro y ella, con tan silenciosa dignidad que casi me pongo de pie y aplaudo, baja las escaleras y se sube a la parte de atrás del furgón.

—Una llamada a cobro revertido, por favor.

—¿A dónde?

Le doy a la operadora el número telefónico de mis padres.

Un par de timbrazos y mi madre contesta, somnolienta pero alerta. Son las tres de la mañana y, a pesar de que he deambulado por las calles del sur de Londres desde que se llevaron a Carla, tirito de frío.

—Una llamada a cobro revertido desde un teléfono público en Stockwell —oigo que dice la operadora—. ¿Recibe la llamada?

Se oye una especie de jadeo.

—Sí, sí —dice mamá.

—Soy yo.

Ocurre en ese instante algo extraño con mi voz, de modo que lo anterior suena como un graznido.

—Nicky, Dios mío, ¿dónde estás, corazón?

Escucho la voz de mi padre, al fondo.

—No importa dónde estoy —digo—. Volveré a casa, pero debo saber antes algo. Una amiga mía, Carla Johnson, acaba de ser arrestada en un inquilinato ilegal en Brixton.

—Sí, lo sé —dice mamá—. Nos contaron que los dos chicos con los que apareces en el video de la licorería habían sido vistos. Lo último que supimos de la policía es que los habían detenido.

–Necesito estar seguro de que a esta niña, Carla, no se le acuse de nada.

–Nicky –dice mamá con voz temblorosa–, ¿qué tiene que ver todo eso con nuestra pequeña familia?

–Que ella es inocente, mamá.

–¿Tú estás bien?

–Volveré a llamar en diez minutos –le digo–. Haz lo que te pido y estaré en casa a tiempo para desayunar.

A decir verdad, todo este cliché del tipo duro es un acto difícil de desempeñar hablando con mi mamá, pero sabía que la única manera de hacerlo era pensando todo el tiempo que no era yo el que hacía la llamada, sino el héroe de otra película.

Después de colgar, le doy la vuelta a la manzana varias veces. Tal vez unos veinte minutos más tarde, llamo, otra vez a cobro revertido. Mi madre contesta.

–¿Tienes noticias? –pregunto.

–Tu papá habló con el inspector de policía a cargo de tu caso –dijo mamá en voz baja–. Todo parece indicar que esta joven, Carla, fue detenida esta noche. Ya han hablado con ella y pasará la noche en la estación.

La voz de mamá vuelve a flaquear, como si hiciera esfuerzos por mantener la histeria a raya.

–Siempre y cuando no se encuentre nada que la incrimine en la casa, quedará libre mañana.

–¿Me lo prometes? ¿Me juras que no es una trampa?

–No.

Pienso que quizá debiera asegurarme con la policía. Aunque sea sólo esto, la vida de fugitivo me ha enseñado que uno no puede confiar en nadie. Escucho la voz de mi madre en la distancia. Comprendo que tengo el teléfono apretado a mi estómago.

–¿Qué dices? –pregunto, volviendo en mí.

–¿Dónde estás? –mamá pregunta, con pánico.

–Ah, espera.

Busco la dirección exacta en la misma cabina telefónica y leo.

–Estamos en camino –dice mamá.

Debo estar más cansado de lo que pensé.

Al colgar, se me doblan las piernas. Me recuesto contra la pared de la cabina y me dejo resbalar hasta quedar sentado. Me abrazo las rodillas. Oigo pasos pasar pero sin detenerse. Estoy tan cansado, se me cae la cabeza…

–Nicky.

Abro los ojos y veo a mamá, de pie, frente a mí. Detrás de ella, papá y Marisa se bajan del auto.

–Tranquila –digo–, tranqui…

Mamá se agacha frente a mí y me abraza, dejando descansar sus labios sobre mi cabello. Escucho sollozar a Marisa.

–Vamos, viejo –dice papá–. Vamos, al auto.

–Nicky.

Mamá es un solo llanto.

–Tran… –intento decir, pero es inútil; no hay caso, tengo algo atragantado, las palabras no me salen.

Siento los brazos que me alzan y, cosa de verdad extraña, a pesar de que caigo en estado de inconsciencia, alcanzo a percibir el conocido olor corporal de papá.

–Papá –digo.

Y me pierdo.

Doce

Un solo cliché por siempre jamás

De esto hace dos meses; ahora es ahora.

Varias cosas han ocurrido, no todas buenas.

Mi padre se ha ido de casa. No con Josefina, que lo dejó, quizá por un hombre que no eche a perder una buena cena, saliéndose a las carreras de un restaurante en persecución de su hijo. Supongo que debería sentir pena por papá, pero no la siento.

Es que... con su secretaria, por Dios.

Igual, ahora vive en un pequeño y agradable apartamento muy cerca de aquí. Lo veo cuatro o cinco veces por semana y, por raro que parezca, ahora que no estoy en medio del fuego cruzado entre él y mamá, me llevo mejor con él. Está más tranquilo y se tienen noticias de que lo vieron escuchar mientras otro hablaba, como si aquello de vivir solo le haya demostrado que no se necesita ser un dictador absoluto para que lo tomen en serio. Llegó incluso a donar la recompensa a alguna obra de caridad que ayuda a la gente sin techo cosa que, créanme, es un verdadero milagro.

Mi madre también ha cambiado. "No fue la cosa que más me haya impactado", me dijo, "haber descubierto que 'tu padre' ", como ahora lo llama, "salía con otra". Es más, lo supo todo el tiempo. Algunas veces me pregunto por qué no fueron capaces de ser honestos el uno con el otro y con Marisa y conmigo… por qué fue necesario que yo huyera para sacar los trapos al sol.

Esta semana mamá fue a un concierto con un tipo divorciado y viejo, con dientes de conejo y una condescendencia excesiva. Me dan ganas de decirle a mamá: "Por Dios, mamá, no, no con él", pero como vino a dejarla a las 10:15 después del concierto, quizá la cosa no vaya a ser el romance del siglo después de todo.

He ahí esperanzas.

Marisa está enamorada de un sinvergüenza que ya está en la universidad. La verdad, la cosa es demasiado aburrida. Imaginen algo así como el más grande cliché en la historia de la humanidad, multiplíquenlo por dos y se harán a una buena idea del estado en que anda mi hermana hoy por hoy. Claro que todavía peleamos, pero cuando la cosa se pone muy fea, recuerdo que fue a ella a quien primero recurrí cuando me puse a la fuga. No está mal, para ser hermana.

No estoy preso. Pasé algunos momentos peliagudos cuando regresé a casa pero, cuando John sorprendió a todo el mundo, incluido su servidor, diciéndole a la policía que no estuve involucrado en el robo de la licorería, se me informó que todos los cargos se retirarían si me disculpaba ante el señor asiático que había amenazado con una botella. Aquella, lo juro, fue la conversación más vergonzosa que haya tenido en la vida.

Hablando de prisiones, se decidió no enviarme de vuelta a Holton. Ahora estoy de nuevo en mi viejo colegio, pero Paul y Quadir han prometido mantenerme informado respecto a todo que ocurra en el infierno. No he recibido aún una tarjeta de Pringle, felicitándome por mi retorno a casa… ni siquiera de Wattsy.

Ayer, mientras paseaba a Jessie por el parque, cayó Marlon a verme. Como siempre, le pregunto por Carla.

—No la he visto —me dijo—. Pero ayer recibimos una noticia suya.

—¿En dónde está? —pregunto, como quien no quiere la cosa.

—No dice. Escondida en algún lugar, con Scag.

Se me rompe el corazón. Quisiera morir, pero digo:

—Buen tipo, Scag.

—Oye —dice Marlon, como si de pronto recordara algo—. Te envía esto.

Saca de su bolsillo de atrás un sobre arrugado que dice: NICK-CONFIDENCIAL.

Cuando Marlon se marcha, me siento en una banca del parque y, disfrutando el momento, abro lentamente el sobre y leo:

Oye, Nick,

Quería darte las gracias por lo que hiciste tras mi arresto. Eres un verdadero amigo.

Las cosas están muy candentes por el momento pero, créeme, me mantendré en contacto.

Crece pronto, hombrecito hogareño. Te esperaré.

Te quiere,

Carla.

Busco con la mirada el sector del parque por donde caminamos agarrados de la mano para hacer creer al policía que éramos novios. Recuerdo las palabras de Carla. Eso fue por él, esto por mí.

Crece pronto.

Ja, ya verás, intenta detenerme.

Llamo a Jessie, me meto la nota en el bolsillo de atrás y me dirijo a casa.